Conversations *privées*
avec le président

Antonin André
Karim Rissouli

Conversations
privées
avec le président

Albin Michel

À Geneviève et Stéphane.
À Mélanie, à Manil.
Aux Hautes-Lumières.

Introduction

« *C'est dur, bien sûr que c'est dur. C'est beaucoup plus dur que ce que j'avais imaginé.* » 16 novembre 2013, les premiers frimas de l'hiver. Dans un Paris gris et venteux, le président nous reçoit en fin d'après-midi. C'est l'une des premières « conversations » que nous aurons dans son bureau lors du quinquennat, c'est aussi la plus marquante et peut-être la plus sincère. Nous le connaissons depuis une dizaine d'années, nous l'observons avec une acuité particulière depuis quatre ans, depuis qu'il s'est lancé dans la course à la présidentielle. Pour la première fois, Hollande vacille.

De record d'impopularité en record d'impopularité, il se hisse sur la première marche du podium depuis 1958. *Le Journal du Dimanche* qui paraîtra dans quelques heures le crédite de 20 % de satisfaits, un plancher jamais atteint depuis la création du baromètre Ifop. Depuis plusieurs semaines, une petite musique monte dans la presse. Et si le pouvoir était définitivement paralysé ? Et si Hollande ne terminait pas son quinquennat ? Pour *L'Express* cette semaine-là, la France est « *au bord du chaos* » et son président, « *le pilote d'un avion dont les commandes ne répondent plus* ». Les hebdos égrènent les commentaires, anonymes et paniqués, des ministres, députés et conseillers de la majorité. La violence des revendications et des commentaires caractérise cette entrée dans l'hiver 2013-2014. Le président est seul sur le banc des accusés.

Le meilleur signe de ce pessimisme ambiant, c'est le raidissement perceptible dans l'attitude de François Hollande. Un raidissement que le président masque habilement dans les premières minutes mais qu'il va laisser filtrer au cours de ce rendez-vous. Il nous accueille comme d'habitude en venant lui-même nous chercher dans le vestibule. Souriant, plaisantant, le pas toujours sautillant malgré les kilos repris depuis l'élection, le président traverse le salon vert qui mène à son bureau. « *Alors ? Ça va bien ?!* » enchaîne-t-il comme pour devancer notre première question, nos commentaires sur le « Hollande bashing » et le climat d'abattement et de résignation qui règne dans le pays.

Quelque chose a changé dans la façon qu'il a de nous accueillir. Au long des nombreuses conversations que nous avons eues avec lui depuis près de dix ans, François Hollande s'est toujours montré courtois, à l'aise, parfois même familier. Mais il y a quelque chose de plus cette fois-ci. Quelque chose de différent. Comme une forme de soulagement à nous retrouver pour partager ne serait-ce qu'une partie de ce qu'il endure dans une période sombre. Le rythme de nos rencontres s'est d'ailleurs légèrement accéléré. Nous nous voyons désormais une fois par mois et il semble nous encourager à maintenir ce rythme si l'on en croit la réactivité avec laquelle il répond à nos sollicitations. Ce samedi 16 novembre, son entrain est d'autant plus singulier que le président évite les journalistes depuis quelque temps. Il ne réclame plus à son service de communication d'en embarquer dans son avion lors de ses déplacements, pas plus qu'il ne vient à leur rencontre pour des moments de conversations informelles.

Les conseillers de l'Élysée décrivent un président soucieux de s'isoler. Les visiteurs du soir sont moins nombreux. « *C'est vrai*, reconnaît François Hollande, *je vois moins de monde. Je ne veux pas avoir à commenter la difficulté du moment ni supporter la compassion inquiète des uns et des autres.* » Une volonté de se protéger plutôt inhabituelle chez cet homme que l'on n'a jamais vu éviter un journaliste ! Au contraire. Depuis qu'il est à l'Élysée, son visage s'allume dès qu'il croise le regard des reporters ou éditorialistes qu'il connaissait dans « sa vie d'avant ». Dans le cadre compassé de l'exercice du pouvoir suprême, la présence de ces témoins qui l'accompagnèrent dans sa longue conquête était jusqu'ici un signal rassurant. Ce n'est plus le cas. Quelque chose a changé. La pression, plus forte. Le climat, plus violent. Et François Hollande, qui cette fois-ci ne dissimule pas. « *Ça frappe, ça frappe, ça frappe beaucoup* », lâche le président. Comme s'il était lui-même étonné par l'ampleur des assauts qui se concentrent sur le palais et particulièrement sur le bureau où nous sommes confortablement installés.

Cette violence l'inquiète. Pour lui, pour ses proches aussi. « *J'interroge mes enfants, pour savoir s'ils sont embê-*

tés. Pour le moment ça va. Pour Valérie, c'est plus dur, elle est attaquée ad hominem *sur des sites, dans des éditos.* » Quelques jours plus tôt, le président a pour la première fois essuyé des insultes frontalement. Alors qu'il remontait les Champs-Élysées lors des cérémonies du 11 novembre, des groupuscules liés à l'extrême droite l'ont conspué. Quelques heures plus tard, d'autres sifflets avaient fusé à Oyonnax, dans l'Ain, où il venait honorer la mémoire des maquisards qui bravèrent les Allemands le 11 novembre 1943 en ce jour de commémoration de l'armistice de la Grande Guerre. *« C'était dur. J'entendais les sifflets et ça m'a fait mal... Ça m'a fait mal pour la République »*, ajoute-t-il comme pour se convaincre que ce n'est pas lui la cible. Souvent, lorsqu'on l'interroge sur ce qu'il éprouve devant cette déferlante de reproches, François Hollande parle des autres et de ce qu'ils ressentent. Soucieux de ne jamais évoquer ses propres sentiments. Il suffit de comprendre l'euphémisme qu'il emploie pour le décrypter. *« C'est dur, bien sûr que c'est dur, c'est beaucoup plus dur que ce que j'avais imaginé »*. La dureté de la crise, la dureté des attaques, il n'y était pas préparé et le reconnaît. Comme si le candidat Hollande n'avait pas encore à cet instant, dix-huit mois après son élection, fait la mue nécessaire pour affronter le caractère exceptionnel de la fonction.

Ce jour-là, face aux critiques, face aux mouvements de fronde qui agitent le pays, face aux « Manif' pour tous » ou aux Bonnets rouges, le président amorce un début d'autocritique. *« L'Élysée n'a pas été conçu comme si on était en guerre,* regrette-t-il. *Ceux qui m'entourent ignoraient que ce serait la guerre. Aucun ne pensait*

que ce serait à ce point exacerbé, féroce... Déséquilibré. »
Lucidité ou défaitisme ? François Hollande dessine
en tout cas une citadelle assiégée ! Quelques jours
plus tôt, commentant les sifflets du 11 novembre, le
ministre et ami du président, Stéphane Le Foll, utili-
sait la même rhétorique guerrière. « Le président conti-
nuera de sortir et se fera siffler par ceux qui veulent nous
battre, voire nous abattre. C'est ça le sens de l'Histoire. »
Que faire ? « Tenir. Il faut se blinder », tranche l'intéressé. « Je veux montrer de la stabilité, de la solidité. Pas
de l'indifférence, surtout pas. On peut vite avoir le mépris
du peuple quand le peuple nous abandonne : souvenez-
vous de la marionnette de Mitterrand au Bébête Show
qui lançait "Imbéciles !" à ses contradicteurs. » Se blinder
sans s'isoler. La marge est étroite pour ce président
qui, ce jour de novembre gris et venteux, nous ferait
presque penser à Louis XVI enfermé en son palais
pendant que le peuple gronde. « Cette maison isole,
enferme, confine », nous a un jour confié le chef de
l'État en parlant de l'Élysée.

L'histoire de François Hollande au pouvoir est
celle d'un quinquennat qui a dérapé dès les premières semaines. À peine élu et déjà déchu par la
presse. Le premier été du quinquennat, sans doute
mal préparé par le président et son staff, renvoie une
impression d'improvisation et de tâtonnements alors
que les mauvaises nouvelles s'amoncellent. Croissance
en baisse, plans sociaux qui explosent, chômage qui
grimpe... Le pouvoir, spectateur, tarde à agir. À réagir. François Hollande pensait naïvement avoir un
peu de répit. « Je ne m'attendais pas à un état de grâce,
mais là j'ai eu "un état de glace". Aucune indulgence comme

il en existe normalement dans les périodes d'alternance. Rien. Et à ce moment-là, les unes de magazine embrayent. Le Nouvel Obs, début septembre : "Sont-ils si nuls ?", Le Point, début août 2012 : "La France danse sur un volcan." L'Express, fin août : "Les cocus de Hollande" ou encore Le Point : "On se réveille ?" Je m'en suis bien sûr inquiété, mais pas alarmé. J'ai constaté que ce ne serait pas simple. Est-ce que c'est l'époque qui voulait ça ? Il y avait eu une violence de Sarkozy et contre Sarkozy en son temps, et donc il fallait sans doute en passer par là. Il y avait une forme de purge. »

Souvent acculé par les événements, rarement énervé, ce président sur lequel tout semble glisser nous a parlé pendant plus de trois ans avec une liberté de ton parfois déconcertante. Comme ce jour de janvier 2016 où il s'ouvre devant nous sur sa « vie d'après ». *« Si je perds la présidentielle, j'en "prendrai pour cinq ans". J'aurai soixante-sept ans en 2022, donc si je perds j'arrête la politique. Que pourrais-je faire ? Me représenter pour être député ou maire de Tulle ? Comme Giscard en son temps ? Mais lui était jeune. Il avait cinquante-cinq ans. Sarkozy est jeune aussi. Quand on a été un jeune président, même si on a été confronté à la défaite, on peut revenir. Moi non. »* François Hollande n'a pas encore perdu, il ne sait d'ailleurs pas s'il sera en mesure d'être de nouveau candidat, mais il répond avec facilité à nos questions sur son avenir. Enfin, il essaie de répondre. Car bien qu'il s'en défende, il a du mal à imaginer la suite. Il balbutie. *« Après la politique, je pourrais écrire, j'aurai plus de temps. Je pourrais... voyager, m'occuper de ma famille plus que je ne l'ai fait jusqu'à présent. Ma vie politique aura été tellement riche. Je vis un mandat extrêmement intense. Guerre, conflit, agressions terroristes, mobilisation nationale, grande conférence internationale. Un mandat pleinement accompli. C'est vrai qu'en dehors de la politique j'ai du mal à me projeter, mais je ne voudrais pas laisser croire que la vie politique est toute la vie. Comme si j'étais totalement dépendant, incapable de ressentir une émotion en dehors de la politique. Arrêter sera sûrement un moment particulier... Bien sûr que la politique, c'est ma vie. »* Stop ou encore ? La réponse ne dépend pas de lui mais des Français, qu'il n'a que quelques mois pour reconquérir. Au terme d'un quinquennat où il aura battu tous les records d'impopularité, lui donne le sentiment d'y croire encore : *« Il reste beaucoup à faire, notamment sur le plan économique, il faut restaurer la confiance. Mais j'aurai donné le meilleur de moi-même. Ce qui est frustrant quand vous terminez un mandat, c'est que les Français n'aient pas perçu ce qui relève de vous, de votre action. Les gens ont vu ce que j'étais capable de faire. »* Ses rares partisans y verront des raisons d'espérer en priant pour que les marqueurs économiques s'améliorent sensiblement d'ici la fin du règne. Ses nombreux détracteurs s'appuieront sur cette confidence pour appeler le pays à tourner la page.

LES CRISES

1

Paranoïa

Dimanche 9 mars 2014. L'air est doux en ce début d'après-midi. Le président savoure un week-end de répit à La Lanterne, un pavillon de chasse situé à Versailles, devenu la résidence secondaire du chef de l'État. Il a pris l'habitude de venir s'y reposer avec ses proches. À la une du *Journal du Dimanche*, pas de nouveau titre ravageur sur « le doute » ou « l'échec » d'un Hollande battant un nouveau record d'impopularité. Pas d'affaire ravageuse sur les goûts dispendieux d'un ministre ou d'un collaborateur. Au contraire, c'est un Sarkozy chuchotant dans son téléphone portable qui s'affiche en première page sous le titre *« La Traque »*, référence aux affaires qui s'accumulent et se rapprochent de l'ancien chef de l'État. François Hollande passe la journée en famille, au vert. Son fils Thomas et sa plus jeune fille, Flora, l'ont rejoint pour profiter un peu d'un père accaparé par l'exercice du pouvoir. Comme souvent chez cet homme qui semble n'avoir de place dans sa tête et dans sa chair que pour ce qu'il fait, la conversation s'oriente rapidement vers... la politique. Thomas, impliqué dans les conquêtes successives de sa mère puis de son père jusqu'au sommet de l'État, tient son rang de premier conseiller du président. Sujet du jour : la solitude du pouvoir. Un propos qui revient souvent dans les conversations avec lui et qui se conclut comme souvent ce jour-là par une phrase définitive : « *Je n'ai confiance en personne.* »

Le président décide seul, prend souvent ses plus proches collaborateurs par surprise, sur ses arbitrages comme sur la façon de les rendre publics. Avec le temps, ceux-ci se sont résignés. « *Hollande ? C'est une boîte noire,* analyse l'un d'entre eux, *beaucoup ici disent qu'ils savent ce qu'il pense, mais en réalité personne n'en sait rien.* » Au fil du quinquennat, il se révèle même aux yeux de certains comme le roi pervers d'une cour dans laquelle chaque conseiller n'est qu'un pion parmi d'autres. « *Régulièrement,* raconte l'un d'entre eux, *le président conclut les réunions de cabinet d'une formule qui rappelle à chacun sa fragilité : "On en reparle avec ceux qui seront encore là dans un mois !"* Évidemment, *il la dégaine quand on s'y attend le moins, à l'issue d'une réunion qui s'est bien passée et l'accompagne toujours d'un sourire cynique.* » Oui, le président est seul. Pour être plus juste : il s'est isolé, repoussant la confiance parfois servile que son secrétaire général, Pierre-René Lemas, ou son ami, Claude Sérillon, lui accordaient les yeux fermés lors de leur entrée en fonction. Mais avec l'isolement vient le risque de l'égarement. De faire les mauvais choix. L'automne 2013, marqué par l'affaire Leonarda, en fut l'illustration la plus criante. Celle d'un président décidant souverainement, malgré les mises en garde de son cabinet. Un automne également marqué par la fronde des Bonnets rouges et par les relations de plus en plus dégradées avec un premier ministre sur la défensive, bien décidé à sauver sa peau. *« Cette période où j'étais seul m'a renforcé,* confie François Hollande à son fils. *Je suis devenu plus froid. Plus distant. »*

Thomas connaît son père mieux que personne : *« Un bloc de politique »*, avait-il dit aux auteurs lors d'un de leurs premiers entretiens. *« Je ne sais pas ce qu'il pense, ce qu'il ressent au fond, mon père est une énigme, même pour ses enfants. »* Mais ce dimanche après-midi, l'aîné de la fratrie est déstabilisé par l'aveu. *« Désormais,* affirme le père à son fils, *plus rien ne peut m'atteindre. »* L'isolement, pour ne pas dire l'enferme-ment du président, est un problème. Thomas Hollande plaide pour un remaniement de son cabinet. Changer les hommes pour installer une garde plus fidèle autour de lui. *« Tu dis que tu n'as plus confiance en personne, il y a Jouyet quand même. Prends-le à l'Élysée »*, propose Thomas. *« Jean-Pierre ? Non, il prend les journalistes au téléphone ! Tu te rends compte ! »*, répond ce président qui converse lui-même par SMS avec la moitié des journalistes politiques de Paris ! *« Et alors ? Moi je parle bien à Antonin André et à Karim Rissouli,* riposte le fils. – *Oui, eh bien, fais attention à ce que tu leur dis... Et puis même Jouyet, j'ai beaucoup moins confiance,* tranche le président. *Il est allé avec Sarko ! Il a accepté un poste chez Sarko parce qu'il ne croyait plus en moi ! Il ne croyait pas en mes chances de devenir président ! »* Il y a de la colère dans sa voix. C'est rare chez un homme que l'on décrit tout en rondeur et en maîtrise. Cette blessure d'orgueil, le président la ravalera un mois plus tard lorsqu'il nommera finalement au secrétariat général de l'Élysée l'homme de confiance pour lequel son avocat de fils a plaidé. Le président s'en est expliqué devant nous. *« Je n'ai pas parlé à Jean-Pierre durant toute la période où il était chez Sarko. En 2012, je lui ai expliqué que je ne pouvais pas le nommer, où que ce soit. Aujourd'hui, le temps a passé et puis j'ai senti qu'il avait très envie d'être ici, à l'Élysée. »* Même s'il l'a dominé, il a toujours en mémoire ce sentiment d'abandon et cet éloignement subi. Apparaît ici l'une des facettes méconnues de François Hollande : un homme fidèle à ses intimes mais qui ne s'embarrasse pas d'affect quand la situation l'exige.

2

« La vie, à un moment, équilibre les chances et les malchances »

« Je suis vacciné sur les sondages, je suis passé de 3 % à 30 % dans un temps assez rapide. À l'inverse, quand je suis investi, je suis à 65 % dans un duel de second tour contre Sarkozy et je finis à 51 ! D'ailleurs, ça a été très pénible, ça a été une longue dégringolade. Parce que les sondages n'avaient aucun sens.

Quand vous arrivez ici après une campagne, vous passez d'un moment de ferveur à un moment de silence. Vous cherchez le peuple. Le peuple vous cherche aussi, mais il vous cherche querelle ! [rires] Je ne crois pas beaucoup à la chance. Je crois à la malchance. Il y en a eu beaucoup depuis que je suis arrivé ici. Un jour, il doit y avoir une compensation.

La vie, à un moment, équilibre les chances et les malchances. Mais ce que je crois, c'est que la situation économique – que j'avais pensé voir s'améliorer plus tôt – peut être meilleure que prévu. Cela peut être une heureuse surprise sur le plan économique. En revanche si le chômage continue d'augmenter jusqu'en 2017, j'aurais beau avoir mené une politique extérieure couronnée de reconnaissance et d'estime, ce sera très difficile de gagner. La condition, c'est que l'am-

biance économique soit meilleure. Qu'on ait le sentiment que les efforts ont payé. Est-ce que ça suffit ? Non. Il faut un certain nombre de marqueurs. Qu'est-ce qu'on va retenir du quinquennat ? La réforme sur la fin de vie, le service civique, le développement du numérique, la loi santé... Il faut absolument en terminer avec l'idée que François Hollande, c'est le pacte de responsabilité, le mariage homosexuel, les rythmes scolaires et les impôts.

Il y a déjà des moments forts qui peuvent laisser une trace dans l'Histoire de ce quinquennat. En politique extérieure notamment : le Mali, la Syrie. Pour la politique intérieure, la loi Macron, la loi sur la transparence, ou encore la conférence sur le climat. On peut déjà constituer un certain nombre de temps réussis, de symboles. Mitterrand : il y avait eu le discours au Bundestag, à la Knesset, l'abolition de la peine de mort. Chirac : c'est la fin du service militaire, des essais nucléaires, ou encore la victoire à la coupe du monde lors du premier mandat. L'Irak et la laïcité dans le second. Pour Sarkozy, on retiendra la Géorgie, la Libye, le discours de Dakar. L'international fait beaucoup pour la trace qu'on laisse. »

3

Le coup de poignard

Vers 17 h 30, ce mardi 2 septembre 2014, Bernard Poignant, fidèle ami du chef de l'État, pousse la porte du bureau présidentiel. Le rendez-vous est prévu depuis plusieurs jours. L'ancien maire de Quimper, chargé de consigner archives, notes et discours, est un visiteur régulier. Le président est assis à son bureau, mine fermée.

Quelques heures plus tôt, dans une salle d'un collège de Clichy récemment doté de dispositifs numériques, il se félicitait d'une rentrée scolaire réussie. Les nouveaux rythmes digérés, les enseignants confortés par des postes créés... Bref, un répit après la tornade politique qui l'avait poussé à virer Arnaud Montebourg et Benoît Hamon quelques jours plus tôt. Mais le répit est de très courte durée. En cette fin d'après-midi, l'annonce par la presse de la publication imminente d'un livre de Valérie Trierweiler a réveillé les inquiétudes au Château. « *Tu savais qu'elle écrivait ? Tu étais au courant pour le livre ?* interroge Bernard Poignant. – *Non, je ne le savais pas,* répond laconiquement le président. *Mais on l'a ? Tu sais ce qu'il y a dedans ?* » François Hollande

25

se lève et marche lentement jusqu'à la fenêtre de son bureau. Il jette un œil sur le parc puis se retourne vers son ami : « *Non, je ne sais pas ce qu'elle raconte mais je sais que ce livre va m'atteindre. Il est fait pour ça.* »

Le soir même, avant de connaître le contenu du livre, l'Élysée prépare la riposte. Le secrétaire général, Jean-Pierre Jouyet, est à la manœuvre. Pour évaluer l'ampleur de la déflagration, la priorité est de mettre la main sur l'objet du scandale. Mais premier problème : imprimé en Allemagne, l'ouvrage est inaccessible. L'éditeur a verrouillé la diffusion et aucune rédaction ne l'a eu entre les mains. La course contre la montre est lancée : il faut se procurer la bombe avant qu'elle soit larguée dans les médias. Jouyet appelle le ministre de l'Intérieur Bernard Cazeneuve. Sa mission : trouver un exemplaire et l'acheminer jusqu'à l'Élysée. Comme un air de déjà-vu. En janvier, l'Intérieur avait déjà été saisi de la mission *Closer* : se procurer en urgence un exemplaire du magazine qui publiait en une la photo du président casqué devant le domicile de Julie Gayet. Ce mardi 2 septembre, l'exemplaire de *Merci pour ce moment* se fait attendre. Il arrive au palais en début de soirée. Le président refuse d'ouvrir cet objet politico-intime dont il sait d'ores et déjà qu'il est destiné à lui nuire. Il se fait juste remettre une « *fiche de lecture* » vers minuit, florilège des passages les plus explosifs.

Le lendemain, sur les antennes radios, des bribes de récit très explicites lancent la promotion du grand déballage de la vie privée du président. Une vengeance qui tape en dessous de la ceinture et qui risque d'abîmer un peu plus l'image d'un homme à la stature trop peu présidentielle à en croire les sondages. À l'Élysée, les membres du cabinet sont sous le choc. *« Beaucoup étaient abattus,* concède Bernard Poignant. *On entendait dans les couloirs les gens murmurer "Ce n'est pas possible, elle n'a pas fait ça !"* » Comme un coup de grâce pour les équipes du Château, déjà fortement affectées par l'impopularité record du pouvoir. C'est Jean-Pierre Jouyet qui se charge d'organiser la riposte. Ordre est donné à Bernard Poignant *« d'aller dans les médias pour défendre le président ».* L'urgence est de démolir l'image accablante de l'expression *« sans dents »* que Valérie Trierweiler place dans la bouche de son ex-compagnon pour qualifier les pauvres. En vingt-quatre heures, le fidèle Poignant enchaîne un nombre record d'interviews. Europe 1, France info, France Inter, les chaînes d'info, France 2... Le dimanche suivant, Julien Dray, l'ami des bons et des mauvais jours, accepte l'invitation du « Grand Rendez-Vous » d'Europe 1. *« Vengeance d'une femme blessée »,* les éléments de langage des avocats du président sont calibrés et répétés. Ces témoins de moralité jurent sous serment médiatique n'avoir jamais entendu leur ami utiliser l'expression *« sans dents »* pour désigner les pauvres. Ségolène Royal elle-même le défend avec véhémence : *« Quand on connaît l'homme politique, cette expression va à l'encontre de l'engagement de toute sa vie ! »* Mais l'entendre de la bouche de ses plus proches ne suffit pas. Il faut qu'il parle.

Trois jours après la sortie du livre, le vendredi 5 septembre, le président se retrouve dans la campagne galloise à quelques miles de Cardiff. Le verdoyant golf de Celtic Manor accueille le sommet de l'Otan. La crise en Ukraine, la riposte aux islamistes en Syrie et en Irak, les foyers de guerre se multiplient aux portes de l'Europe. Mais les tabloïds anglais titrent sur le livre de Valérie Trierweiler ! La première réapparition publique du président est très attendue par les médias français. Quel visage offrira-t-il ? Celui d'un homme blessé ? Ou fidèle à sa réputation, celui d'un être sur lequel tout glisse ? Peut-être même sourira-t-il devant les caméras ? Première image publique : quelques clichés et vidéos de la réunion bilatérale avec Barack Obama. La pièce a des airs de chambre mortuaire. En son centre, sous des néons blancs, la table basse en bois a la couleur et la forme d'un cercueil. Face à l'Américain, visage ouvert et tourné vers les objectifs des caméras, le président français a l'air abattu. Comme rarement. Ce vendredi en milieu de matinée, à Newport, il est confronté physiquement aux journalistes pour la première fois depuis la publication du livre. Affaissé sur sa chaise, les épaules rentrées, les yeux baissés, le regard éteint, il ne dissimule pas son désarroi. Même pour les quelques secondes pendant lesquelles les journalistes sont autorisés dans la pièce, le président ne fait pas illusion.

C'est la première fois depuis l'élection qu'il apparaît ainsi en public. Ébranlé lors de l'affaire Cahuzac, déstabilisé par Leonarda, il a déjà laissé filtrer colère ou incompréhension. Jamais une forme de désarroi personnel. Il semble absent, comme s'il n'avait pas conscience du moment, en l'occurrence une réunion bilatérale avec l'homme le plus puissant de la planète. Les diplomates qui l'entourent font comme si de rien n'était. « *Le président va très bien !* » lance l'un d'entre eux tout sourire aux journalistes. « *Il est là où il doit être, à son poste !* » Au même moment, Gaspard Gantzer, le nouveau conseiller en communication, est sur le point d'arriver à Newport en voiture depuis l'aéroport de Birmingham en Angleterre. Dépêché en catastrophe au sommet de l'Otan, il ne figurait pas initialement dans la délégation du président ! Depuis le début du quinquennat, lors de ses déplacements à l'étranger, François Hollande est accompagné de la cellule diplomatique de l'Élysée, rarement de son conseiller en communication. Celui-ci a eu le temps d'un voyage long et improvisé pour réfléchir à la réaction adéquate.

Le compte à rebours a commencé. À 15 h 30 heure locale, une conférence de presse est prévue au programme officiel. Elle sera retransmise en direct sur les chaînes d'information en continu. Le président arrive dans la pièce, précédé de la délégation, qui prend place au premier rang. Il se présente la mine sombre. Son propos liminaire sur la crise ukrainienne est bref. Il se sait attendu sur autre chose. La presse française a droit à trois interpellations. Comme toujours dans ce genre de sommet, les journalistes se sont mis d'accord en amont sur les questions et sur celui ou celle qui les posera. La première porte sur la lutte contre les islamistes en Syrie et en Irak. Par convention lors d'une réunion internationale, le premier propos porte sur les travaux du jour. La deuxième question arrive. François Hollande sait que « *c'est le moment* ».

« *Bonjour, Monsieur le président, Antonin André pour Europe 1.*

– *Bonjour.*

– *Monsieur le président, le livre de l'ex-première dame connaît un retentissement considérable en France et à l'international. Ne craignez-vous pas, au-delà de ce que vous pouvez éprouver sur un plan personnel, que ces révélations dégradent de façon irrémédiable votre crédibilité d'une part et la fonction présidentielle d'autre part ? »*

Le président jette un œil à son pupitre. La réponse est écrite. Il répond en deux temps. D'abord sur la fonction présidentielle. Un propos formel autour du « respect de la fonction ». La seconde partie de la réponse est cette fois personnelle. Comme s'il s'accrochait à une rampe pour être sûr de ne pas trébucher, François Hollande lit son papier. Il prend soin de ne jamais reprendre le terme de « *sans dents* ». Le ton est grave, le regard noir. On croit percevoir un peu d'humidité dans ses yeux lorsqu'il prononce ces mots :

« *Je n'accepterai jamais que puisse être mis en cause ce qui est l'engagement de toute ma vie, de tout ce qui a fondé ma vie politique, mes engagements, mes responsabilités, les mandats que j'ai exercés. Je ne laisserai pas mettre en cause la conception de mon action au service des Français, et notamment de la relation humaine que j'ai avec les plus fragiles, les plus modestes, les plus humbles, les plus pauvres, parce que je suis à leur service et parce que c'est ma raison d'être, tout simplement ma raison d'être.* » L'accent de sincérité – s'il est préparé – est en tout cas très bien interprété. Pas un bruit n'a ponctué le propos présidentiel. Comme si tous s'étaient figés pour bien scruter son attitude, ses gestes, déceler le moindre signe de faiblesse. François Hollande conclut par une mise au point : *« Je ne répondrai plus à aucune question sur ce sujet.* » La journaliste de France 2 qui s'apprêtait à l'interroger plus précisément sur les « sans dents » se ravise. François Hollande se retire avec ses conseillers. Les murmures des journalistes reprennent. Cette crise-là a été bien gérée par le président.

4

« On peut tout dire de moi,
mais pas que j'ai menti
sur mon engagement politique »

« *Ce jour-là, je reviens de Clichy. Valérie m'appelle et me dit : "Voilà, je sors un livre. Les bonnes feuilles paraîtront dans* Paris Match *et puis il y aura un lancement." Je comprends qu'elle a un plan de communication en deux temps. Dans* Match *ce sont les histoires privées, ce qui semble être le récit de notre vie commune. Puis il y aura une deuxième salve, celle publiée dans le journal* Le Monde. *Je lui reproche de ne pas m'avoir prévenu. C'est quand même de ma vie qu'il s'agit ! La conversation est assez brève.* [Silence].*

Donc dans Paris Match *paraissent les extraits sur l'intimité, ce qui est violent. Cela peut ne pas être violent pour ceux qui aiment raconter leur vie. Mais pour moi qui n'ai pas ce genre de rapport, d'inclination à l'exhibition, oui ça m'atteint. Il y a notamment le récit de la mort de ma mère. Ça, ça me touche. On peut raconter à la rigueur les rapports personnels dans un couple. Mais aller chercher ma mère ! Cela touche à l'essentiel. En plus, aller raconter sa mort ! Là, c'est une captation. Après, j'ai vu qu'il y avait une deuxième lame qui avait été introduite à dessein. Pour blesser ! C'est ça qui me choque. À la limite, les confessions*

32

intimes, j'aurais pu mettre ça sur le compte de la douleur, de la peine, de la souffrance, des larmes. Mais ce sur quoi je devais réagir, c'est l'image renvoyée par ses descriptions sur les "sans dents", qui a tout de suite pris.

Sans faire de la psychologie, je pense que c'est elle qui a un complexe social vis-à-vis de moi. Je ne l'avais pas mesuré. Un complexe sur nos différences d'origine sociale. C'est tout de même inattendu : je suis resté trente ans avec Ségolène Royal qui elle-même vient d'un milieu très dur. Je ne me suis jamais projeté dans l'idée que dans le couple deux origines différentes peuvent causer un malaise. Je n'ai pas de fortune personnelle par ailleurs. Mais je pense qu'elle portait ce complexe en elle depuis très longtemps. C'est pour cela qu'elle place cette expression. Je devais réagir précisément sur ce sujet, parce que ma vie, je l'ai consacrée aux plus modestes. Ceux qui venaient me voir dans une circonscription de Corrèze où il y a beaucoup de gens laborieux le savent bien. On peut tout dire de moi, mais pas que j'ai menti sur mon engagement politique. Or quand le livre sort, la polémique ne part pas sur l'intimité mais bien sur les pauvres. Les gens achètent peut-être le livre parce que le récit de l'intimité les attire, mais ils n'en parlent pas. En revanche, l'attaque sur les pauvres a fait parler.

J'aurais pu matériellement faire interdire le livre. Les éditeurs et peut-être même Valérie ont pensé que j'aurais été capable, si j'avais su que le livre sortait, de le faire interdire ! Ils l'ont fait éditer à l'étranger ! C'est quand même une conception du pouvoir totalement étrangère à la mienne. Comme si moi j'allais faire saisir un livre ?! Au temps de Mitterrand, de Chirac ou de De Gaulle, c'était possible, mais aujourd'hui c'est impossible. Ne serait-ce que parce qu'il peut y avoir un livre sur internet. Tout cela n'a aucun sens.

La première fois que je m'exprime sur le sujet, c'est effectivement au sommet de l'Otan. Gaspard Gantzer aurait dû être là depuis le début du sommet vu les circonstances ! Certains conseillers préconisaient de ne pas répondre à cette question, mais c'était intenable. Donc il fallait s'y préparer. C'était compliqué parce que j'étais dans les réunions de l'Otan et il fallait que je trouve un moment pour m'isoler, pour réfléchir. Je l'ai fait une demi-heure avant la conférence de presse, sous une grande tente. J'ai réfléchi seul à ce que je pouvais dire. J'avais la réponse en tête depuis deux ou trois jours. Le sens de mon existence. On peut tout dire de moi sauf "ça". C'est le sens de ma vie. Cette réponse est préparée. Mais elle devait être définitive et ne pas entraîner une autre question.

Je laisse passer une émotion qui n'est pas feinte. Parce que cette attaque est ce qui m'émeut le plus. Si j'avais fait une réponse plus contenue, plus maîtrisée, sans émotion, elle aurait pu être regardée comme un élément de protection et non de sincérité. »

5

La lycéenne et le président

Mardi 15 octobre 2013, un an avant : discussion en apparence anodine entre Vincent Peillon et Manuel Valls dans les couloirs de l'Assemblée. Au détour de la conversation, le ministre de l'Éducation alerte son collègue de l'Intérieur sur l'expulsion d'une jeune fille de quinze ans vivant dans l'est de la France. Les associations comme Réseau Éducation sans frontières (RESF) commencent à s'agiter, la gauche de la gauche aussi. Une dénommée Leonarda a été cueillie par les forces de l'ordre à la descente d'un bus scolaire pour être renvoyée au Kosovo où son père avait été expulsé quelques jours plus tôt. *« Je ne vais pas pouvoir rester sans rien dire, Manuel. Un bus scolaire, c'est le cadre scolaire. On ne va pas chercher les enfants dans les écoles, c'est un principe ! »* insiste le ministre de l'Éducation. Manuel Valls n'a pas encore tous les éléments de l'affaire. Il écoute mais ne prend aucune décision. Vincent Peillon lui recommande de demander une enquête et, sans attendre, de se saisir du dossier avant qu'il ne prenne de l'ampleur. Le premier flic de France s'y refuse. L'affaire Leonarda s'emballe.

Le lendemain mercredi, elle fait l'ouverture des matinales radio. La voix de la jeune fille et son visage commencent à tourner en boucle sur les chaînes d'info. Le ministre de l'Intérieur s'apprête à partir pour Lorient afin d'assister aux obsèques d'un policier avant de s'envoler pour trois jours dans les Antilles. L'avion du président de la République vient, lui, de se poser sur le tarmac à Paris, de retour d'un voyage officiel en Afrique du Sud. De Pretoria, le chef de l'État n'a pas vraiment suivi le début de l'affaire. Il appelle son ministre de l'Intérieur.

« Allô, Manuel, puisqu'il y a un doute autour de l'arrestation de la petite, il faut absolument qu'on sache dans quelles conditions ça s'est passé. Est-ce qu'on a fait arrêter le bus ? Est-ce que les enfants étaient dans le bus au moment de l'arrestation ? »

Les deux hommes décident alors du déclenchement de l'enquête administrative sur les modalités de l'expulsion, refusée la veille à Vincent Peillon.

« Tu en fais l'annonce à Lorient, personne d'autre n'évoquera le sujet en Conseil des ministres ce matin. C'est à toi de communiquer », ajoute François Hollande.

Manuel Valls prévoit donc de peaufiner ses éléments de langage et décide de s'exprimer en fin de matinée devant la presse qui l'accompagne en Bretagne. Mais alors qu'il n'est pas encore arrivé sur place, il découvre, effaré, un communiqué de Matignon annonçant que le ministère de l'Intérieur va demander une enquête. Dans la cour de l'Élysée à la sortie du Conseil des ministres, Vincent Peillon ne se fait pas prier pour commenter lui aussi ce que Manuel Valls aurait dû annoncer en exclusivité. *« L'enquête a été lancée ce matin même, et j'y souscris »*, lance Peillon aux micros et caméras, avant de tacler les forces de l'ordre : « *Il y a des règles de droit et puis il y a des principes qui sont ceux de la France. La sortie scolaire, c'est de la scolarité.* » Il va jusqu'à sermonner le ministre de la police : « *Que cela ne se renouvelle pas !* » En froid avec Matignon depuis le premier jour du quinquennat, familier de la conduite sportive de Peillon qui prend les virages tellement serrés qu'il faut s'accrocher pour ne pas être éjecté à chaque embardée, Valls est passablement énervé, mais pas vraiment surpris : « *On se met d'accord sur le déclenchement d'une enquête par l'inspection générale des services et avant même que je l'annonce moi-même à Quimper, Matignon rend publique l'ouverture d'une enquête – ce que j'apprécie moyennement. Je repars à Orly pour redécoller pour la Martinique. J'ai Jean-Marc Ayrault qui m'explique les choses au téléphone, et franchement, c'est limite... Je vois bien le missile partir. Vincent Peillon lui aussi a été limite avec la phrase qu'il lâche à la sortie du Conseil des ministres. Il me dit qu'il s'est exprimé sur demande du premier ministre. Ce n'est pas très solidaire si je résume les choses.* »

Manuel Valls se permet un commentaire lapidaire sur ce président qui lui avait garanti quelques heures plus tôt qu'il serait le seul à parler de l'enquête : « *Vous voyez comme c'est tenu !* » Entre ironie et agacement, devant quelques journalistes, Valls « le loyal » fustige le manque d'autorité du chef de l'État. Il s'envole malgré tout pour les Antilles mais est contraint d'écourter son séjour à la demande de l'Élysée. À Paris, la polémique s'emballe chaque jour un peu plus. Lycéens et étudiants menacent de

« mettre le feu » aux établissements scolaires ; associations et politiques tapent sur cette gauche « immorale et inhumaine ». Les intellectuels de droite et l'opposition dénoncent, eux, un pouvoir socialiste laxiste et permissif. Les médias somment l'Élysée de parler. « Expliquez-vous, M. le président », titre *Libération* le vendredi 18 octobre. *« Face au conflit sur les valeurs qui déchire sa majorité, François Hollande... se tait »*, attaque le quotidien de gauche.

L'intéressé est sensible à cette pression. Pendant l'été, lorsque les journalistes l'interrogeaient sur le risque d'une rentrée sociale chaude pour cause de réforme des retraites, le président avait désigné une autre menace bien plus inquiétante à ses yeux : la jeunesse. Non seulement il lui a fait une promesse, celle d'une vie meilleure à la fin de son quinquennat, mais il craint par-dessus tout ses réactions et sa capacité à s'enflammer, jusqu'à faire vaciller le pouvoir. *« Julien Dray expliquait à François Hollande qu'il risquait d'y avoir beaucoup de lycéens et d'étudiants dans la rue*, raconte Manuel Valls. *Mais pour ma part, j'attends le rapport d'enquête, dont je suis certain de la teneur ! Je connais les faits. Je dis très clairement à Hollande qu'on ne peut pas tordre les faits. S'il n'y a pas eu faute, il ne peut pas y avoir de sanction du préfet. »* Ferme sur les principes, le ministre de l'Intérieur doit composer avec un président qui lui se préoccupe surtout des retombées politiques du « feuilleton Leonarda ».

« Dans cette affaire, François est rapidement convaincu qu'il doit faire un geste envers cette gauche qui a voté pour lui contre Sarkozy, raconte son intime François Rebsamen. *Quarante-huit heures avant la remise du*

*rapport, il est déjà décidé à faire un geste envers Leo-
narda.* » Depuis son arrivée au pouvoir, le président
a enterré le candidat ennemi de la finance. Il a fait
voter par la gauche le pacte de compétitivité favorable aux entreprises, l'assouplissement des règles du
marché de l'emploi et des budgets qui assomment
d'impôts les classes moyennes. À ce moment du quinquennat, les valeurs restent le seul marqueur capable
de rassurer son camp. Si le président gère l'affaire
à la mode Sarkozy, il prend le risque de soulever
la gauche morale contre lui. Les fantassins lycéens
et étudiants ne rentreront plus dans leurs salles de
cours !

Ce scénario, le président l'a en tête et il souhaite
très vite l'écarter. D'où le geste qu'il s'apprête à
faire ce samedi matin au terme d'une semaine de
feuilleton : « *Une sorte de grâce présidentielle* », selon les
termes d'un conseiller du chef de l'État. Mais une
grâce partielle : oui au retour de la lycéenne, non à
celui de sa famille. Manuel Valls alerte le président
sur « *l'incompréhension que cela risque de susciter* ». Mais
il n'insiste pas. « *Il y a un temps où c'est le président
qui tranche, moi je ne suis que son ministre*, confie le
ministre de l'Intérieur. *Ça fait trois jours que je suis en
une des journaux, qu'on explique que je suis au centre du
jeu – de* Libération *au* Parisien *qui explique que "Valls
déchire la gauche", en passant par* Le Figaro *pour qui "la
gauche s'enflamme contre Manuel Valls". Il y a un moment,*
conclut le ministre, *où il faut que je reste en retrait. Je ne
peux pas dire au président ce qu'il doit faire ! Ma position
deviendrait intenable.* » Soucieux de ménager ses relations avec l'Élysée, il se contente de citer les pages

du rapport qui dressent un portrait peu flatteur de la famille Dibrani et de Leonarda elle-même. L'égérie d'une partie de la gauche et de la jeunesse militante est une collégienne qui sèche régulièrement les cours. « *C'est une fugueuse !* » s'emporte Valls. Quant à la « *mythologie de la famille unie, on est très loin de la réalité,* ajoute-t-il. *Elle a porté plainte contre son père à plusieurs reprises !* ». Manuel Valls met sa démission dans la balance. Incarnation de l'autorité de l'État, il ne peut pas reculer : « *Pas question de désavouer le préfet. Il n'y a pas eu de faute, et cette famille est parfaitement expulsable ! Il faut donc assumer cette position. Je suis en parfaite cohérence. Et je ne suis pas favorable au retour de Leonarda.* » Manuel Valls met la pression. Jean-Marc Ayrault, qui sent sur sa nuque le souffle de celui qui ambitionne de lui succéder sans tarder à Matignon, entrevoit en Leonarda une alliée de circonstance. « *À l'Élysée, ce matin-là, Ayrault veut me faire trébucher,* raconte Valls. *Il souhaite qu'on ramène une partie de la famille ! Je lui dis "non", je lui dis que c'est l'autorité de l'État qui est en cause. On se retrouve dans une situation impossible.* » Le président tranche. Ou plutôt fait la synthèse. La famille est expulsée, mais Leonarda, si elle le souhaite, peut être accueillie en France pour y poursuivre sa scolarité. Avec le débat sur la déchéance de nationalité, ce sera sans doute le désastre politique le plus spectaculaire du règne. Une décision bancale, incompréhensible, qui est de surcroît annoncée par le président de la République lui-même ! « *C'est la pire des solutions,* reconnaît Manuel Valls aujourd'hui. *Et il s'exprime dans les pires conditions, dans la précipitation, sans savoir qu'il y aurait un faux dialogue avec Leonarda monté par les chaînes d'info. Puis, dans les minutes qui suivent, c'est Harlem Désir, premier secrétaire du PS, qui critique sa décision et intervient à côté de la plaque ! Pour ma part je reste convaincu que s'il y a un défaut d'autorité de la part de l'État alors qu'il n'y a pas eu faute, c'est un problème. C'est ce que les Français constatent[1]. »*

Valls est dans un tel état de colère, le samedi du dénouement de l'affaire, qu'il préfère refuser l'invitation des journaux télévisés à 20 heures. *« C'était prendre le risque de déraper, mieux valait laisser refroidir »*, analyse-t-il. Il attendra le lendemain pour parler dans les colonnes du *Journal du Dimanche*. Les Français, eux aussi, ont tranché. Le sondage BVA, paru le 19 octobre dans *Le Parisien* – jour de la décision de François Hollande – conforte le ministre : deux tiers des Français sont contre le retour de Leonarda. Le week-end, sur les marchés, les candidats de gauche aux municipales se font agonir d'injures sur la fiscalité, l'Europe ou l'école. À l'époque, le mot magique, c'est « Valls ». La seule marque du gouvernement à séduire encore les Français apparaît en bonne place et en majuscule sur les tracts des candidats quand le nom du président et le logo du PS sont, eux, dissimulés pour ne pas faire fuir les électeurs !

Les enquêtes d'opinion des jours suivants confirment le jugement des Français. Le président paie cash le dénouement de cette affaire. Les membres de sa majorité, députés et sénateurs, ne sont guère plus indulgents. *« Il a galvaudé sa parole »*, lâche l'élu de la Loire Régis Juanico, qui se dit frappé par l'ef-

---

1. Entretien avec les auteurs, le 4 avril 2016.

fet dévastateur parmi ses collègues à l'Assemblée. *« Personne n'a compris qu'il réponde à Leonarda, c'est sa personne qui suscite désormais le doute, plus sa politique. C'est un tournant »*, assène le député. À l'Élysée, le sentiment de panique est réel. Pierre-René Lemas, le secrétaire général, fait venir plusieurs journalistes dans son bureau quelques heures après le face-à-face Hollande-Leonarda pour tenter d'expliquer la décision du président. Lui-même, d'habitude si placide et posé, arrache le filtre de ses Camel light et enchaîne les cigarettes. *« Tout ce qu'on fait, c'est mal ! »* conclut-il, résumant d'une formule incroyable un sentiment d'impuissance, d'injustice et d'incompréhension.

A-t-on déjà vu un président à ce point décrié qu'une sénatrice de sa propre famille le fasse huer par la foule !? À Marseille, au lendemain de l'arbitrage présidentiel, la sénatrice Samia Ghali, candidate malheureuse aux primaires de désignation pour l'élection municipale, fait siffler par les sympathisants socialistes le nom du président.

Loyal mais implacable lorsqu'il revient sur cette séquence, Manuel Valls en profite pour s'envoyer en creux quelques fleurs. *« Pendant toute la campagne électorale, j'ai essayé d'éviter ça*, analyse-t-il, *Que Hollande ne se montre jamais en situation de ne pas trancher, de brouiller son image, son autorité. On y est parvenu d'ailleurs. Les 75 %, il tranche, l'ennemi c'est la finance, il tranche… Ça a tenu !*[1] *»* À écouter Valls, le défaut principal du président Hollande est ce manque d'autorité qu'il avait parfaitement camouflé pendant la campagne. De

---

1. Propos recueillis le 21 octobre 2013.

l'épisode Leonarda, le ministre de l'Intérieur ressort déçu et furieux contre l'attelage président-premier ministre. *« Ils ont été catastrophiques »*, lâche-t-il à un de ses proches en évoquant quelques jours plus tard l'attitude de Hollande et Ayrault. D'autant plus amer que lui *« s'en est pris plein la gueule »* depuis le début de l'affaire.

Pour Thomas Hollande, l'affaire Leonarda constitue l'épisode le plus périlleux du quinquennat. *« C'est un moment, et je le lui ai dit, où il a perdu sa capacité d'analyse parce qu'il y avait quelque chose qui le parasitait, qui lui mettait trop de pression, qui l'empêchait de prendre les bonnes décisions. »* Ce *« quelque chose qui le parasitait »* et que Thomas Hollande refuse de nommer clairement, c'est l'intervention de Valérie Trierweiler en marge d'un déplacement dans son ancienne école à Angers. Interrogée sur l'expulsion de la famille Dibrani, la première dame prend clairement position contre le gouvernement. *« Je ne veux pas me mêler de cette affaire... Mais ce que je veux dire, c'est que l'école c'est un lieu d'intégration. Ce n'est pas un lieu d'exclusion. On le voit pour les enfants handicapés mais on le voit aussi pour des enfants qui sans doute n'ont pas de papiers ou qui sont plus défavorisés. Il y a sans doute des frontières à ne pas franchir, et cette frontière c'est la porte de l'école. »* Thomas Hollande estime que cette sortie de la première dame a clairement parasité la prise de décision de son père. *« Pour prendre les bonnes décisions il faut être serein. Il a besoin d'être seul dans son bureau, de faire ses raisonnements dans sa tête. S'il y a quelqu'un qui est sur lui en permanence, ça le braque »*, décrypte le fils. *« Elle agissait ainsi, y compris pendant l'affaire Leo-*

43

narda ? » l'interroge-t-on. *« Oui. Et du coup il prend une décision brutale et irréfléchie parce qu'il n'a pas eu ce temps seul pour se confronter à la situation. »* Thomas Hollande n'est pas le seul à constater le désarroi du président. *« Dray m'a téléphoné à ce moment-là, il venait de voir mon père. Il m'a dit : "Il n'est pas bien, je ne l'ai jamais vu comme ça. J'ai l'impression qu'il a perdu sa vista*[1] *". »*

---

1. Entretien avec les auteurs, le 6 mai 2015.

6

« *Si je devais refaire le film,* *je traiterais cette affaire* *de la même manière !* »

« *Le samedi matin, on se retrouve dans mon bureau. Ayrault, Valls, Peillon et moi. Ayrault est sur une position que son cabinet l'incitait à prendre, qui était "s'il y a eu erreur, il faut que toute la famille rentre". Le rapport ne pointe pas une faute mais un "manquement" pour le cas de la petite. Un manque de "discernement". Leonarda explique dans les médias qu'elle ne parle que le français et qu'elle ne pourra pas être scolarisée sur place au Kosovo où il n'y a pas de lycée français. La possibilité de la prendre en France en pension ou en famille d'accueil est alors évoquée. C'est cette option que je retiens. Peillon, lui, veut qu'on prenne du temps pour consulter les syndicats lycéens. Il est ministre de l'Éducation, donc il a peur que ça reparte. Le risque existe. Les jours de mobilisation avaient été assez forts, on voit sur les réseaux sociaux que ça s'agite et qu'à la rentrée une reprise du mouvement est possible.*

La question politique est ensuite de savoir si c'est à moi de parler ou si je laisse ça à Ayrault ou à Valls. Si c'est Valls, on prend le risque que les commentateurs disent : "C'est Valls qui a le dernier mot, et est-ce que c'est vraiment le dernier mot, est-ce que le président de la République ne doit pas lui-même dire quelque chose ?" Si c'est Ayrault, on peut se dire qu'il impose sa décision à Valls. Je prends donc la décision de parler. Aucun n'essaye de me dissuader. Ils sont très contents que ce soit moi qui monte en première ligne. Ce qui d'ailleurs renvoie à une autre question : une nouvelle fois, c'est moi qui protège et qui ne suis pas protégé. C'est la vraie question. Je protège Valls parce que je couvre le manquement qui s'est produit : la jeune fille n'a pas été interpellée dans des conditions conformes à ce que nous souhaitions. Je protège Ayrault parce que lui est favorable au retour de toute la famille, ce qui serait franchement une erreur, compte tenu de ce qu'était la famille !

À la réflexion, une solution aurait été beaucoup plus simple : ne pas parler et se contenter d'un simple communiqué. Si je devais refaire le film, je traiterais cette affaire de la même manière, mais je laisserais Valls en faire le service après-vente télévisé.

Leonarda, ce n'est pas un personnage qui surgit d'un coup parce que je décide de parler ! Elle avait été invitée dans la semaine, pas simplement sur BFM et sur I-Télé mais au journal télévisé de 20 heures de France 2 ! J'assiste à cette folie qui s'empare des chaînes d'information, qui multiplient les interviews de cette gamine avec une complaisance inouïe ! On sait maintenant que Libé a payé 50 euros pour l'interviewer ! Ça en dit long sur notre système d'information ! Peut-être que les chaînes info l'ont aussi payée ?! Qui sait ? Mais je pense au fond que le problème n'est pas qu'elle me réponde. Le problème, c'est le parti. Si le PS, si Harlem Désir avait dit lors de sa première expression que j'avais pris la bonne décision, ça aurait été différent. Mais là il me lâche ! Le PS dit qu'il faut faire rentrer toute la famille. Les Français se disent : "Hollande parle et il n'est même pas suivi par son propre parti !" J'en ai fait le reproche à Harlem Désir. Je lui ai dit : "Même si tu n'es pas au courant, même si tu n'es pas d'accord, sur une affaire comme celle-là tu dois suivre la ligne !" C'est cette prise de position qui est la plus déstabilisante. Dans cette affaire, le PS a fait une faute politique. Je ne peux pas changer Harlem sur le coup mais je sais qu'au mois de juin suivant, il a peu de chances d'être encore premier secrétaire.

Pour conclure sur cette histoire, je ne dis pas que l'image avec Leonarda à la télé est bonne, mais ça peut arriver à tout moment ! Si je prends une position et qu'un fondamentaliste musulman me réponde, est-ce que je dialogue avec Al-Qaïda ? Non ! C'est absurde. »

7

L'armée mexicaine

Au commencement, il y a une armée mexicaine.
Cible récurrente des critiques de la première moitié
du quinquennat, la communication coûtera cher au
président. Ses conseillers, plus occupés à se tirer dans
les pattes qu'à organiser une parole cohérente, exas-
pèrent le président les deux premières années. Mais
en organisant la concurrence au sein de son propre
service de communication, c'est bien François Hollande qui a fini par s'affaiblir lui-même.

Aquilino Morelle, à l'époque conseiller politique
très écouté, est à l'origine son porte-parole officieux.
Il a pour mission de murmurer à l'oreille des journalistes. Médecin et énarque, ce fils d'immigré espagnol
à l'ambition assumée – il se voyait ministre à quarante
ans – n'a pas longtemps hésité entre un combat incer-
tain aux législatives pour devenir député et le grand
bureau jouxtant celui du président. Ancienne plume
de Jospin à Matignon, ami de Manuel Valls et directeur de campagne d'Arnaud Montebourg pendant les
primaires, c'est un esprit brillant, enflammé, orgueil-
leux et incontrôlable. Son principal atout est une

forme de liberté d'esprit qu'il n'abandonne jamais, y compris lorsqu'il s'adresse au président.

Le revers de la médaille, c'est que cette « liberté » confine parfois à la légèreté dans l'exercice de sa mission auprès des journalistes. Le 16 janvier 2013, une prise d'otages en Algérie dans un complexe gazier met en jeu la vie de plusieurs ressortissants français. Pendant les premières vingt-quatre heures, peu d'informations filtrent. Toute la journée, l'un des auteurs tente de joindre Aquilino Morelle pour recueillir des éléments sur ce que les autorités françaises savent de la situation. Il ne s'agit pas de dévoiler des informations mettant en péril la vie d'otages, mais de confirmer de simples faits comme, par exemple, un coup de fil entre le président français et son homologue algérien. Aquilino Morelle finira par rappeler... À minuit. « *Aquilino, savez-vous si François Hollande a eu Bouteflika au téléphone ? – Non je n'en sais rien. Il en était question lorsque je suis parti du bureau à midi, mais je n'y suis pas retourné depuis.* »

Peut-être était-il au cinéma comme ce dimanche de rentrée à la fin de l'été avant une semaine cruciale de consultations des partenaires sociaux sur les retraites ? Ou peut-être faisait-il « une petite sieste » comme le 14 juillet 2013, après l'intervention du chef de l'État ? L'homme censé écrire l'histoire du quinquennat par procuration en guidant la plume des journalistes s'est vite lassé de son rôle de conteur.

Au début du quinquennat, l'ancien journaliste Claude Sérillon est, lui, un intime du chef de l'État. « *Il voulait absolument son bureau à l'Élysée, il a fini par l'avoir* », persifle un des conseillers en janvier 2013 lorsqu'il débarque au palais. Un débarquement qui commence par... un incident diplomatique. Le nouveau messie de la com' pensait s'installer dans un bureau situé dans l'aile de « Madame ». Valérie Trierweiler n'ayant pas apprécié cet assaut à la hussarde, Sérillon finira dans un petit bureau au deuxième étage près de celui du secrétaire général adjoint, Emmanuel Macron. Son rôle n'est pas de parler aux journalistes. Sérillon, l'homme de télé, est censé avoir un point de vue de professionnel sur la mise en scène et en image de la communication du président. François Hollande s'entretient souvent avec lui, en tête à tête, sans toujours suivre ses conseils. Il se voyait reprendre en main la communication d'un président qui l'avait sans doute encouragé à plusieurs reprises de son fameux *« oui oui »*. Mais dans la langue de François Hollande, les deux s'annulent. *« Oui oui »* égale *« non »* !

Troisième personnage de l'intrigue : Claudine Ripert. Une hollandaise pur jus. Camarade de promo du président à Sciences-Po, elle fut l'épouse du diplomate Jean-Maurice Ripert, ami de la célèbre promotion « Voltaire » de l'ENA. Professionnelle de la communication reconnue, elle partage la responsabilité de la presse à l'Élysée, en cette première partie de quinquennat, avec Christian Gravel, un « Valls boy ». Jeune quadra aux cheveux ras et aux épaules carrées, il fut repéré par Manuel Valls à la fin des années quatre-vingt-dix. Le futur premier ministre est à l'époque conseiller presse de Lionel Jospin à Matignon quand Gravel débarque pour y effectuer son service militaire. L'homme est un vrai pro de l'organisation, à la loyauté sans faille, qui a parfois du mal à maîtriser un caractère sanguin. Ripert et Gravel se sont réparti les champs de compétence pour éviter de se marcher sur les pieds. Elle couvre l'international, lui la politique française. *« Christian, c'est mon copain ! »* a l'habitude de dire Claudine un peu lourdement pour revendiquer une bonne entente dans l'équipe à laquelle personne ne croit. En fait, les deux communicants ont été mis en situation de concurrence. Les copains se surveillent. Ce qu'ils partagent, c'est le sens très restrictif qu'ils conçoivent de leur mission. Chargés de la communication du président, ils perçoivent les journalistes comme des ennemis. L'un, Christian Gravel, est surnommé Monsieur « No comment », réponse quasi systématique qu'il envoie par retour de SMS aux sollicitations de la presse. L'autre, Claudine Ripert, développe un vrai talent pour mouler les éléments de langage dans une langue de bois en plomb.

Il faut ajouter à cette équipe déjà bien fournie Marylène Courivaud, la directrice du service de presse, Stéphane Ruet, photographe du palais et proche de Valérie Trierweiler, et enfin Romain Pigenel, chef du service internet de l'Élysée.

Cette organisation complexe encourage une certaine confusion et brouille la communication de l'Élysée. Ils sont sept comme les sept mercenaires, mais ils ne visent pas aussi juste que les héros du western de John Sturges ! Et il n'est pas rare de voir Pierre-René Lemas les convoquer pour essayer de mettre de l'ordre dans cet obscur système mis en place par... Hollande ! Comme ce jour où chacun reçoit une convocation par SMS du secrétaire général de l'Élysée. Au début de la réunion, ils sont six à se présenter dans le salon vert attenant au bureau présidentiel. Aquilino Morelle est en retard. Cette fois-ci, François Hollande en personne est présent, installé, seul, d'un côté de la table. Les six autres pistoleros sont invités à s'asseoir en face de lui, autour du secrétaire général Pierre-René Lemas. « *Tout le monde est tendu*, précise l'un des participants, *pour ce qui s'annonce comme un recadrage en règle.* » Morelle finit par arriver. Il prend place à côté de Hollande. Joli coup. « *Du Morelle tout craché*, commente, énervé, un de ses collègues, *flagorneur avec le chef et toujours un peu méprisant pour les autres.* » Le président ouvre la réunion : « *Vous êtes là parce qu'il faut qu'on améliore un certain nombre de choses, la communication en fait partie.* » François Hollande transmet rapidement la parole à son secrétaire général. On joue à good cop/bad cop. Pierre-René Lemas dresse le réquisitoire. « *Nous avons beaucoup de retours négatifs. On ne comprend pas ce qu'on fait ici, nos décisions ne sont pas suffisamment expliquées et surtout de nombreux journalistes se sont plaints à moi de ne pas être rappelés.* »

Tout le monde comprend aussitôt que le duo Gravel-Ripert est dans le viseur. « *C'est violent* », raconte un témoin. Le président indique que chacun pourra s'exprimer mais commence par donner la parole aux deux accusés, faisant clairement comprendre qu'ils sont les principaux sujets de cette réunion. La parole est à la défense. L'un des participants raconte : « *Christian la joue fine. Il encaisse le coup sans se rebiffer, il concède qu'il y a des choses à améliorer, se propose de faire le compte rendu de la réunion et de faire remonter des propositions. Il est un peu comme un petit garçon pris en faute, mais il comprend que se rebeller serait contre-productif. Claudine est humiliée, assommée mais tente d'opposer une résistance avant de dire en substance : faites de nous ce que vous voulez. »* Le président rend son verdict : Sérillon prend du galon, il remonte dans l'organigramme avec la mission de coordonner la communication. Mais, fidèle à sa méthode de mise en concurrence au risque de semer le désordre, il fait également monter Stéphane Ruet, le photographe. *« Stéphane doit être davantage présent sur tous les déplacements. Il gère l'image »,* tranche le président.

La réunion prend fin dans une ambiance plombée. Christian Gravel, soucieux de montrer qu'il est déjà remis en selle, propose aux uns et aux autres de lui faire parvenir des idées, des notes qu'il mettra en forme pour les faire remonter. *« T'as gagné, Claude »,* lance Romain Pigenel au nouveau coordonnateur de la com. *« Ouais, ça ne veut rien dire, j'ai déjà été nommé plusieurs fois sur le papier. La note est souvent restée sur le bureau de Lemas sans jamais recevoir la signature de Hollande. J'attends »,* conclut, prudent, l'ancien journaliste d'Antenne 2.

Deux semaines plus tard, rien n'a changé. La note n'est toujours pas signée et tout ce petit monde se retrouve pour la traditionnelle réunion des communicants du lundi matin. Quelques mois plus tard, cinq des sept mercenaires seront évacués du palais.

8

« *Laisser un journaliste*
dans le noir est une erreur »

« *Je ne parle pas à la presse simplement pour parler à la presse. C'est vrai que c'est intéressant d'avoir des conversations libres et décontractées avec les journalistes. Ce qui n'est pas facile c'est qu'on est tout de même toujours en représentation. Dans les déplacements, je dois faire attention à tout ce que je dis. Je fais une plaisanterie, ça se répand aussitôt. Je fais attention. Je me retiens. Quand j'ai dit* [à un petit garçon qui l'interrogeait] *"Sarkozy, tu le reverras plus", c'était une boutade, mais ça s'est propagé tout de suite. Je dis une plaisanterie et c'est fini. Même les bêtises dont vous parlez, ma cravate de travers par exemple, il faut y être attentif. Il faut toujours regarder s'il n'y a pas de défaut. Avant, ça ne se serait jamais produit. Jamais personne ne s'est intéressé aux chaussures de Mitterrand ou à celles de Chirac. Ah si ! quand il avait été à Brégançon en short... Mais aujourd'hui tout prend une telle ampleur.*

Ce qui m'énerve, c'est quand des journalistes me disent : "On n'arrive pas à avoir une information, on n'arrive pas à avoir quelqu'un qui nous réponde..." Ça m'embête. Ce sont des fonctionnements qui doivent changer. Laisser un journaliste dans le noir est une erreur. Il se trouve que j'ai com-

mencé ma vie politique au cabinet de Max Gallo, [alors] porte-parole du gouvernement Mauroy. Des articles, j'en ai inspiré ! Vraiment ! Et de journalistes illustres ! J'avais à peine trente ans. Qu'est-ce que j'en ai retenu ? Qu'une parole prononcée d'un lieu officiel a du sens. Et qu'un journaliste, même un bon journaliste, même un journaliste sérieux, on peut toujours le guider, l'orienter. C'est le jeu. D'autant que le journaliste est contraint : il doit faire un papier dans un délai très court avec souvent des informations parcellaires. Il suffit donc de lui donner le bon angle, la bonne approche, et la bonne information, parfois même une information bidon, ça fonctionne. C'est encore plus vrai aujourd'hui. La deuxième chose qui m'énerve, c'est un conseiller qui parle quand il ne sait pas. Parce que je l'ai vécu aussi. Le nombre de gens qui font croire qu'ils savent, parce que sinon ils ont l'impression de ne pas être assez importants, et qui balancent des choses approximatives, ça m'énerve. »

9

Le condamné

Le tiers-état n'est pas encore aux portes du château, mais le président a dilapidé en un temps record le crédit de sa victoire. Dès le lendemain de l'élection, la droite mettait en doute la légitimité du pouvoir socialiste. Quelques mois plus tard, c'est une partie de la gauche qui dénonce l'illégitimité de sa politique. Baisse des charges compensée par une fiscalité plus forte sur les ménages, assouplissement du marché de l'emploi, le tout couplé à une réduction des dépenses publiques : l'addition est jugée trop salée et surtout en contradiction avec une campagne plus à gauche. Nouvelle comparaison avec son illustre prédécesseur : « *Mitterrand était davantage soutenu par l'électorat de gauche* », constate, un peu amer, le président. À aucun moment, Hollande ne remet en cause ses choix : il s'en prend aux hommes. À ses hommes. Ceux qu'il a pourtant lui-même choisis !

À commencer par le premier ministre, dont les jours sont comptés dès le mois de novembre 2013. Son sort est scellé, et le chef de l'État nous le confie dans le secret de son bureau. À l'extérieur, il fait passer le message d'un remaniement enterré, hors de propos, repoussé à des temps lointains. Après tout, comme il nous l'a dit au début de l'entretien, nos échanges sont « *pour la postérité* » (comprendre : « à la fin de mon mandat »). Ses mots, prononcés d'un ton léger, presque anodin, sont d'une dureté rare à l'endroit de son principal collaborateur. Déjà, en septembre, le président avait étrillé son premier ministre à la suite d'une interview donnée au quotidien gratuit *Métro*. Jean-Marc Ayrault voulait absolument évoquer le projet de réforme des retraites, mais on ne retiendra qu'une seule phrase sur la pause fiscale « *effective en 2015* », qui donne le sentiment de contredire les propos du président. Quelques jours plus tôt, dans *Le Monde*, le chef de l'État avait en effet proclamé que « *le temps d'une pause fiscale* [était] *venu* ». Le lendemain, lors de leur tête-à-tête précédant le Conseil des ministres, Hollande avait rabroué Ayrault : « *Ça sert à quoi de faire une interview dans* Métro *? la veille de la présentation du projet retraites en Conseil des ministres ?* »

Les cafouillages sur la politique fiscale du gouvernement, la fronde des Bonnets rouges et le fiasco Leonarda soulignent la relative impuissance de Matignon et l'incapacité du premier ministre à jouer les boucliers pour le président. Il sera donc le fusible. Manuel Valls, ministre de l'Intérieur à l'époque, confirme que le premier ministre est dévitalisé plusieurs mois avant son départ effectif. « *La question du remplacement de Jean-Marc Ayrault monte dès la rentrée 2013. Laurent Fabius et Jean-Yves Le Drian militent ouvertement pour un changement. Moi je reste très prudent. Je suis très heureux au ministère de l'Intérieur.* » Prudent mais déjà prêt. En réalité, Manuel Valls est intronisé dès l'automne. François Hollande n'a pas beaucoup d'alternative : Valls est populaire, il a démontré sa loyauté pendant la campagne électorale et il est sur sa ligne social-libérale. Le futur premier ministre est donc logiquement mis à l'épreuve par le président. *« François Hollande, à la fin de l'automne 2013, sans me dire que je pourrais être nommé, s'interroge ouvertement devant moi sur la relation institutionnelle président-premier ministre,* raconte Manuel Valls, *et sur ce que devrait être un nouveau gouvernement : le nombre de ministres et les noms de ceux qui devraient en être. Il ne me dit jamais "et toi, tu pourrais être premier ministre". Mais à partir du moment où il évoque avec moi ce que pourrait être la relation entre un président et un premier ministre et qu'on évoque le dispositif, je n'ai pas besoin de le questionner davantage. C'est suffisamment clair. »* Manuel Valls insiste, dans ses échanges, sur la nécessité de justifier le changement de premier ministre par une nouvelle étape politique, une modification des choix économiques. La seule usure, surtout un an et demi après le début du quinquennat, ne suffirait pas à justifier un tel bouleversement. Il faut du contenu. *« Et en même temps,* ajoute Manuel Valls, *il a du mal à se séparer de Jean-Marc Ayrault. Il y a aussi les municipales à venir qui ne s'annoncent pas désastreuses selon les sondages. Donc il hésite. »*

Le président est en voyage au Proche-Orient lorsqu'il découvre que son premier ministre, dans une interview au journal *Les Échos*, décide d'annoncer *« une remise à plat fiscale »*. Le prélèvement de l'impôt à la source, la fusion de l'impôt sur le revenu et de la CSG... Tentative désespérée de reprendre la main en imposant au président sa réponse au « *ras-le-bol fiscal* » ? François Hollande n'apprécie guère. L'interview restera sans suite. Le président, s'il a encore une hésitation sur le bon moment, n'a plus aucun doute : son premier ministre est condamné.

10

« *Ayrault ne va pas à la bataille* »

« *Je pense au remaniement dès le mois de mai 2013 dans les soubresauts de l'affaire Cahuzac. À l'automne, je sais par qui je vais le remplacer. Ayrault aurait dû être beaucoup plus actif, plus présent. À l'Assemblée, il est actif, mais il n'est pas efficace dans les médias. Un matin, il est l'invité de France Info. Dix minutes. Qu'est-ce qu'il en reste ? Rien. Personne ne s'en aperçoit. Je lui en ai fait le reproche : "Tu ne peux pas aller sur une radio comme un invité lambda ! Tu fais une demi-heure et tu y vas pour délivrer des messages forts, simples."* Ayrault ne va pas à la bataille, pas plus que beaucoup de ministres d'ailleurs. Je parle à Manuel Valls à ce moment-là, après l'affaire Leonarda, en pleine crise des Bonnets rouges et je le mets en condition : "Je ne sais pas si ce sera le moment mais il faut qu'on réfléchisse à la façon dont on fera les choses si je dois changer de premier ministre."*

D'une façon générale, le personnel politique est faible. Il l'était déjà sous Nicolas Sarkozy, où peu réussirent à exister. À cela s'ajoute le rouleau compresseur du système médiatique, qui est un vrai sujet pour les hommes politiques. Au bout d'un an, la plupart des ministres sont usés, lessi-

vés. Finalement, ceux qui sont solides sont ceux qui m'ont accompagné longtemps avant que j'accède au pouvoir. Mais le constat que je fais, c'est que je suis dans un système où la pyramide est inversée ! C'est moi qui supporte tout le monde. Je protège le premier ministre et les ministres, je rassure mes collaborateurs qui montrent parfois des signes de fébrilité alors que ce devrait être le contraire. Tout le monde devrait me protéger. »

11

Le pacte de *Closer*

Dans le vestibule attenant au premier étage du palais de l'Élysée, les journaux du jour sont disposés sur une table à l'intention des visiteurs. Ce 1ᵉʳ février 2014, alors que Jean-Marc Ayrault est en sursis, *Le Parisien* titre sur la nouvelle compagne : « *Qui est vraiment Julie Gayet ?* » Valérie Trierweiler est partie depuis un peu moins d'un mois. Quelques instants plus tard, un rapide coup d'œil à la cheminée du bureau présidentiel permet de constater que la photo du couple Hollande-Trierweiler s'offrant sur scène au peuple de gauche, le soir de la victoire, est toujours en place.

Trois semaines plus tôt, ce même bureau était le théâtre d'une réunion de crise convoquée à la hâte autour du président. Une réunion, ou plutôt un ballet de conseillers tétanisés par ce qu'ils viennent d'apprendre. Nous sommes le jeudi 9 janvier 2014, en début de soirée. Plus que quelques heures avant l'arrivée de la bombe *Closer* dans les kiosques. Tour à tour, le secrétaire général de l'Élysée, Pierre-René Lemas, les conseillers Aquilino Morelle et Claude Sérillon, l'ami intime Jean-Pierre Mignard, viennent prendre la température et exposer au président ce que serait selon eux la meilleure riposte. Tous essaient aussi de se procurer un exemplaire de ce numéro qui va, ils en sont persuadés, détruire le peu de crédibilité qui reste à François Hollande.

Le magazine arrivera finalement à l'Élysée juste avant minuit. Comble de l'ironie, c'est Manuel Valls, qualifié par la presse de « vice-président », qui est appelé à la rescousse par son ami Aquilino Morelle pour dénicher l'objet du futur scandale. Le ministre de l'Intérieur a fait jouer ses réseaux et demandé ce petit service au préfet de police de Paris[1]. « L'amour secret du président » s'affiche en une du magazine people. Il sera tiré pour l'occasion à six cent mille exemplaires et ridiculisera sur plusieurs pages ce chef de l'État, casque sur la tête, qui rend clandestinement visite à sa dulcinée dans un appartement de la rue... du Cirque.

Cinq jours plus tard, changement de décor. La salle des fêtes de l'Élysée a remplacé le bureau présidentiel. Plus de six cents journalistes, français et étrangers, attendent les déclarations de François Hollande sur sa vie privée. Dans un long propos liminaire, il surprend les observateurs et décide de clarifier pour une fois une autre face, jusqu'ici largement incompréhensible, de son action. Il précise donc les contours d'un « pacte de responsabilité » esquissé lors de ses vœux à la télévision quinze jours

---

1. Ariane Chemin et Raphaëlle Bacqué, *Le Monde* du 20 février 2014.

plus tôt. Au virage intime s'ajoute le virage libéral du quinquennat. Des dizaines de milliards d'allégements de charges pour les entreprises. Les deux sont-ils liés ?

12

« Cette fois, j'ai largué les amarres !
À tous les sens du terme »

« *Des informations de RTL disent le mardi que je serai en une de* Closer *le vendredi suivant. Il y a aussi des tweets de la droite qui disent "attendez-vous à voir dans* Closer *des révélations sur le président". À cet instant, je ne savais pas ce qu'il y aurait comme photos. À partir du jeudi matin, on sait que ça va sortir. Je ne fais rien pour interdire le journal ou le saisir. Mais c'est une transgression qui s'est faite là. D'aller jusque-là ! Moi, j'ai laissé faire, mais je ne suis pas sûr que cela aurait été le cas lors des précédentes présidences.*

C'est une douleur. Vous, vous êtes encore jeunes, vous n'avez pas vécu de ruptures. Les miennes sont très médiatisées, alors que ce n'est pas du tout dans ma nature de les partager. J'ai le sentiment d'une intrusion. Au départ, la presse se retient. Et puis, dans un deuxième temps, la même presse qui disait "on ne rentre pas dans les détails", s'y vautre ! TF1 et France 2 se retiennent. Mais les chaînes d'information en continu, il faut voir ce que c'est ! Et puis il y a le fait lui-même, la une de Closer. *À la rigueur, j'aurais été dans la rue avec une personne, on nous prend en photo... Mais là, c'est une reconstitution, on cercle ma chaussure ! On ne se pose plus la question : "Est-ce que c'est vrai ? est-ce que ce n'est pas vrai ?" Ce qui s'est passé sur moi, président de la République, ça veut dire que ça peut arriver à n'importe qui. L'atteinte à la liberté vaut pour tout le monde. Tout est autorisé maintenant.*

Quand je vais à Dijon, une dame m'interpelle pour dire "on l'aime pas, Valérie !". Avant, ça ne donnait pas lieu à une dépêche d'agence, ni à une image. Aujourd'hui, c'est immédiatement relayé et commenté. On est entré dans un monde nouveau. Il n'y a plus de limites puisque tout incident devient un fait. Lorsque je me promène dans la rue sans garde du corps, je suis très rarement ennuyé, mais c'est vrai qu'aujourd'hui, je ne peux même plus le faire ! Il y a un autre problème. Je l'ai dit lors de la conférence de presse du 14 janvier [2014]. Je devrais porter plainte sans arrêt : quand on dit que j'ai pris un hélicoptère pour me rendre à un déjeuner privé, tout est faux. Je devrais faire des actions en justice tout le temps. Je ne le fais pas. Pourquoi ? Étant moi-même protégé, si je commence à attaquer la presse, ça me sera reproché. C'est ce qui a été reproché à Sarkozy. Je n'attaque pas, mais je n'en pense pas moins.

Le communiqué de rupture à l'AFP, je l'assume. La meilleure des formules aurait été de dire : "Valérie Trierweiler et moi avons décidé en commun..." Mais comme Valérie ne voulait pas être partie prenante de la décision elle-même, je la respecte. Quelle était l'autre solution ? Que pouvais-je ajouter ? "Je la remercie pour tout ce qu'elle a fait" ? Cela aurait été encore pire ! Cela aurait même été odieux. "Je rends hommage à ce qu'a fait, pendant 18 mois, au deuxième étage, la première dame de France" ? Je ne suis pas sûr que c'eût été la bonne manière. Je crois que l'opinion se partage en plusieurs fractions. Une partie qui n'en a rien à faire, une

*autre qui se dit "il a décidé". Et il y en a d'autres qui se
disent : "C'est une femme, c'est dur", il y a une solidarité
de femmes.*

*Valérie elle-même avait hésité à endosser le rôle. Elle a
été mal comprise, elle ne s'y était pas préparée. Pour moi
c'était facile, j'étais candidat, mais pour le conjoint c'est
très difficile. Elle ne savait pas si elle devait être journaliste,
ou première dame. Quand elle a voulu être journaliste, on
lui a fait comprendre qu'elle ne pouvait pas être à la fois
journaliste et conjointe. Je vous rappelle qu'elle n'a pas pu
garder l'émission qu'elle avait.*

*Je reviens sur le 14 janvier. Je n'ai pas essayé de surjouer
la politique économique pour allumer un contre-feu. Mais
j'arrive à la conférence de presse avec cette épreuve, et je ne
veux surtout pas qu'elle vienne atténuer l'annonce du pacte
de responsabilité. Il fallait que je sorte vite, là encore à tous
les sens du terme, pour bien sûr répondre à la question qui
allait être posée, et pour rester sur ma ligne, avec la crainte
qu'un sujet n'efface l'autre. Mais, s'il n'y avait pas eu la
vie privée, le pacte aurait été encore plus intense ! C'est un
regret.*

*Depuis plusieurs mois, le patronat faisait notre siège pour
avoir une espèce de contrat pour créer des emplois. Pierre
Gattaz avait lancé sa revendication : "Cent milliards d'al-
légement de charges." Quand Sapin me donne les chiffres
du chômage de novembre, je suis en pleine préparation des
vœux du 31. Je me dis : je vais donc faire des vœux alors
que nous n'avons pas inversé la courbe du chômage. Je
sais aussi, ayant des informations de pays voisins, que la
reprise va être modeste en France, peut-être un peu plus forte
en Allemagne et nettement plus forte aux États-Unis. Et si
on ne fait rien, on aura une année 2014 pendant laquelle*

on va piétiner. Pas de dynamique, pas de croissance, pas de confiance. C'est la raison pour laquelle je fais les vœux tels que je les ai présentés, avec ce pacte de responsabilité. Ce qui me permet de mettre le patronat devant ses responsabilités et de ne pas recourir à un nouvel instrument type emplois d'avenir ou contrats de génération.

C'est très intéressant parce que je prononce ce discours, et je regarde les réactions. Il a fallu vingt-quatre heures ou quarante-huit heures pour que ça percute ! Même dans la presse ! Les plus fins, tout de même, avaient noté qu'il y avait quelque chose de nouveau. La droite ne comprend pas. Au bout de quarante-huit heures, enfin, on dit : "Il s'est passé quelque chose avec ce pacte", parce que le patronat se met à embrayer et que la CFDT réagit de façon plutôt positive. La presse commence à s'en emparer. La droite ne voit toujours rien. Ça m'a intéressé parce que moi-même, pendant des années, j'ai été porte-parole du PS, puis premier secrétaire. J'ai commenté pratiquement tous les vœux des présidents de la République de droite, Chirac et Sarkozy. Souvent, ce sont des réactions pavloviennes. On écrit presque le communiqué avant même que les vœux aient été prononcés. Je me suis dit : "Ils ont commis l'erreur classique. Ils n'ont pas entendu." C'est souvent le cas, ils sont dans leur réveillon.

"Le pacte de confiance", ça a été fait mille fois. "Pacte de responsabilité", je trouvais que ça faisait sens : "Tout le monde prend ses responsabilités." C'est moi qui invente la formule en préparant la conférence de presse. Je ne pouvais pas en rester au traitement social du chômage. Tout l'enjeu de l'année 2014, c'est de faire revenir la confiance, de faire en sorte que la reprise s'accélère. Puisque je n'ai pas remanié le gouvernement ni changé de premier ministre, finalement c'est moi qui me remanie en donnant une perspective ! Les socialistes suivent. Il faut bien comprendre que je suis élu d'une majorité qui procède de mon élection. Mais mon élection procède elle-même des débats du Parti socialiste. J'ai été obligé de prendre une partie de ce que le PS m'avait légué, y compris l'accord avec les écologistes, tout un certain nombre de lourdeurs. Mais, paradoxalement, maintenant, c'est moi qui suis libre. La majorité est obligée de suivre. La majorité, c'est comme ça sous la Ve République, elle préfère encore qu'on lui donne la direction. J'en ai pris conscience à l'automne [2013]. Je me suis dit : Qu'est-ce qu'ils souhaitent finalement tous ces députés, tous ces électeurs ? Ce n'est pas d'être plus à gauche ou moins à gauche, c'est qu'il y ait un chef, une autorité.

Oui, je suis plus clair, c'est vrai. Jusqu'ici, je m'en remettais souvent à une formule plus consensuelle : "On peut faire ça... mais en même temps." Cette fois, j'ai largué les amarres si je puis dire [rires]. Je les ai larguées à tous les sens du terme ! Maintenant le bateau part, je suis à la tête du bateau, on est en pleine mer, donc il faut y aller. »

13

Le putsch

Terrasse du palais de l'Élysée, l'odeur d'herbe fraîchement coupée parfume l'air d'un arôme de campagne en ce début de printemps. Il fait bon. Pour la première fois cette année, le président dîne dehors, sous les fenêtres de son bureau. Comme un air de vacances et de détente. Sauf que cette douce soirée tombe deux jours après le second tour des élections municipales. Ce mardi 1ᵉʳ avril 2014, en guise de tête-à-tête romantique, le président s'attable avec son nouveau premier ministre, Manuel Valls. François Hollande le reconnaît : comme tous ses camarades socialistes, il s'attendait à une défaite, pas à une dérouillée historique. Cette fois-ci, il n'a pas pu sauver le soldat Ayrault. Depuis l'automne précédent, marqué par l'affaire Leonarda et par les Bonnets rouges, le président se tient prêt à nommer Valls à Matignon. Cet automne 2013 où, pour la première fois depuis son élection, « *le président a eu peur* », dixit son ami Julien Dray. À l'époque, le scénario cauchemar d'une mobilisation des lycéens et étudiants relayés par des revendications des salariés a eu raison du flegme de l'animal politique.

Le 30 mars 2014, second tour des municipales, jour de défaite historique pour la gauche au pouvoir, tout s'est accéléré. *« Jean-Marc, bien sûr tu dois faire une déclaration,* intime le président à son premier ministre au téléphone, *mais sois prudent dans ton expression. Je n'ai pas encore pris ma décision. On en parlera demain*[1]*. »* Jean-Marc Ayrault croit encore qu'il peut sauver sa peau. À Matignon, retranché avec son directeur de cabinet Christophe Chantepy et son adjointe, Camille Putois, le premier ministre condamné se fait monter la tête par son cabinet. Il a d'ailleurs de bons arguments à faire valoir. *« Avec moi, les Verts resteront au gouvernement ! La gauche du PS ? J'en fais mon affaire : je présenterai le pacte de responsabilité sans aucun accroc... Me virer ? Et pour mettre qui à ma place ? Manuel Valls ? Il créera encore plus de problèmes dans la majorité qu'il n'y en a déjà ! »* Ce sont ces mots – finalement prémonitoires ! – que Jean-Marc Ayrault sert au chef de l'État le lendemain matin de la défaite au palais de l'Élysée. Une plaidoirie que François Hollande rejoue devant les auteurs, reconnaissant au passage à son ancien premier ministre le panache *« de s'être battu jusqu'au bout ».* Sans savoir que son sort est à ce moment-là déjà scellé. Y a-t-il une autre issue qu'une fin pathétique pour un homme de pouvoir ? Même le plus désintéressé, ancien professeur d'allemand, bosseur et obstiné, a fini par succomber au déni de réalité.

Ce lundi 31 mars, vers 9 heures, Jean-Marc Ayrault, comme l'ensemble des journalistes les plus aguerris – en l'occurrence, ceux des chaînes d'info capables

---

1. Entretien avec les auteurs, le 21 avril 2014.

de camper jour et nuit devant l'Élysée – ignorent que Manuel Valls a été le premier visiteur matinal du palais. Le président et son nouveau premier ministre ont alors bien avancé. « *Manuel avait anticipé une lourde défaite,* raconte François Hollande. *Il pensait que les écolos pouvaient rester au gouvernement. Il y avait un risque plus grand pour qu'ils s'en aillent. J'ai dit à Valls : "Il faut que tu ailles les chercher. Pas simplement leur proposer de rester, mais de repartir avec plus de pouvoir." On s'est mis d'accord autour d'une offre sans précédent*[1]*...* » En l'occurrence, trois postes au gouvernement et un grand ministère de l'Écologie, des Transports et de l'Énergie, avec un rôle pilote dans la mise en œuvre de la transition énergétique ! Pour des raisons politiques, Duflot imposera le départ aux écologistes. Après avoir plaidé pendant deux ans pour la présence autour de la table du Conseil des ministres au nom de l'influence sur les choix du pays, Cécile Duflot défend exactement l'inverse. Déjà tournée vers 2017, l'ex-ministre impose son agenda personnel à son parti.

Lorsqu'il repart de l'Élysée pour regagner la place Beauvau ce lundi matin, Manuel Valls est premier ministre. Mais à cette heure, ils ne sont que deux à le savoir. Jean-Marc Ayrault, qui lui succède dans le bureau du président, ne comprendra qu'après coup que pour lui la partie était déjà terminée. « *Je lui avais remis une note mentionnant un accord avec les Verts, tout était ficelé jusqu'à une loi de transition énergétique,* raconte Jean-Marc Ayrault, *il ne l'a même pas lue*[2] *!* » Pourtant

---

1. Entretien avec les auteurs, le 21 avril 2014.
2. Entretien avec l'un des auteurs, le 19 mai 2015.

François Hollande l'écoute. Il le laisse développer ses arguments pendant près d'une heure. *« J'entends tes arguments,* répond le président au long monologue de son premier ministre, *mais prépare-toi à ce que ce ne soit pas cette option qui soit retenue.* » Lorsque les deux hommes se quittent, Jean-Marc Ayrault estime qu'il reste un espoir. Mince, mais un espoir tout de même. Après tout, le président ne lui a pas formellement fermé la porte. *« C'est vrai, je ne lui ai pas dit que j'avais tranché »,* reconnaît François Hollande dont le choix, estime-t-il, relève de l'évidence. *« Maintenir Ayrault aurait été incompréhensible pour les Français, comme si leur vote restait sans conséquence. Si je le prolongeais, cela aurait pu tenir deux mois de plus ? Quel intérêt*[1]*... »* Retranché dans son bureau à Matignon, Jean-Marc Ayrault attendra 16 heures pour entendre la sentence de la bouche du chef de l'État. Congédié en un coup de téléphone le temps d'une phrase : *« Je vais nommer Valls au poste de premier ministre. »* La rupture est difficile à formaliser entre deux hommes *« qui ont tout bâti ensemble »,* souligne Manuel Valls. Entre la chute de Jospin et la victoire de 2012, ils ont tout partagé. Ayrault à la tête du groupe PS à l'Assemblée, Hollande au parti, ils ont mené les troupes, canalisé les ambitions concurrentes, organisé les conquêtes électorales. Des années à se parler matin, midi et soir, à ne pas prendre une décision sans en avoir informé l'autre. François Hollande a du mal avec les ruptures ! Et avec celle-ci en particulier.

La liste du gouvernement avance vite. Contraire-

---

1. Entretien avec les auteurs, le 21 avril 2014.

ment aux pronostics au doigt mouillé qui se succèdent et se contredisent d'heure en heure sur les chaînes d'info. Manuel Valls a consulté toute la journée les candidats possibles pour dessiner l'architecture de la future équipe. Lorsqu'il rejoint le président sur la terrasse de l'Élysée, il ne reste que deux ou trois sujets à trancher. Un seul véritable problème : l'Intérieur. *« Contrairement à ce que j'ai entendu,* affirme François Hollande, *Manuel ne m'a jamais demandé d'y nommer son ami Jean-Jacques Urvoas*[1]. » Le député du Finistère, président de la commission des lois, possède de solides réseaux chez les policiers comme chez les magistrats. Lui s'y voyait déjà. Habile manœuvrier, son aide, en sous-main, pour barrer la route du ministère de l'Intérieur à François Rebsamen en 2012 a été décisive. Le chef de l'État, interrogé plusieurs fois sur Urvoas, est catégorique : Valls n'a jamais prononcé son nom pour l'Intérieur. *« Manuel savait que je considérais qu'Urvoas n'était pas qualifié,* explique François Hollande, *je ne l'aurais jamais nommé à ce poste... À la rigueur, à la Justice ? Non, et puis il est très utile à la commission des lois »*, ironise carrément le président, qui finira par en faire son garde des Sceaux deux ans plus tard ! Manuel Valls, lui, refuse le nom de Rebsamen pour Beauvau. *« J'ai créé un système qui fonctionne à l'Intérieur, Rebs a d'autres réseaux,* plaide le nouveau premier ministre. *Je veux être sûr du ministre de l'Intérieur, je dois avoir une totale confiance en lui. »* Les deux hommes ne s'apprécient pas. François Rebsamen s'était préparé à être nommé à la place de Valls en 2012. Il prétend même

---

1. Entretien avec les auteurs, le 21 avril 2014.

que François Hollande le lui avait promis. Comme d'autres fidèles, il fut parmi les sacrifiés de la victoire. Une fois de plus, le président ne se battra pas pour son ami. *« Je ne tiens pas non plus à ce que Rebs soit à l'Intérieur. Il s'y est trop préparé. Un peu comme Daniel Vaillant qui succéda à Jean-Pierre Chevènement, avec un résultat assez mauvais. »* Stylo en main, il griffonne sur une feuille. Des traits reliés les uns aux autres, avec parfois un nom, parfois non. Une sorte de schéma abstrait dessinant le cheminement de leur raisonnement progressif. Tous deux tombent d'accord sur Bernard Cazeneuve à l'Intérieur. Loyal, travailleur, honnête, limite rigide, avec lui Hollande place un homme de confiance auquel il avait envisagé de confier le secrétariat général de l'Élysée et Valls s'appuie sur un type réglo qui a le sens de l'État. *« Allô, Bernard ? C'est François. Je pense que je vais te nommer à l'Intérieur. »* Problème réglé. Il est un peu plus de 21 heures, l'air se rafraîchit. Le président et le premier ministre s'apprêtent à poursuivre le dîner de travail à l'intérieur. Le téléphone de Manuel Valls vibre. Un texto de Benoît Hamon. Il demande audience au premier ministre. *« Va le voir,* insiste le président, *retourne à Beauvau, reçois-le et reviens. »* C'est l'affaire d'une demi-heure. Hamon aura un grand ministère de l'Éducation, de l'Enseignement supérieur et de la Recherche. Peillon sort. *« C'était prévu »,* commente François Hollande sans un mot de reconnaissance pour ce ministre des rythmes scolaires qui, il est vrai, a déçu. Il est un peu plus de 23 heures lorsque le dîner prend fin. Deux problèmes restent en suspens : le cas Rebsamen et celui des Radicaux de gauche après l'annonce de la mise en examen de leur président Jean-Michel Baylet.

Le lendemain, mercredi 2 avril, Manuel Valls est de retour à l'Élysée. Michel Sapin ira aux Finances travailler avec un Arnaud Montebourg élevé au rang de ministre de l'Économie. L'ami du président aurait préféré un grand ministère du Travail, regroupant les Affaires sociales et la Santé. L'idée d'aller travailler avec l'incontrôlable et médiatique avocat du « made in France » tient moins de la promotion que du piège. Taubira ? *« J'aurais pu la mettre à l'Éducation, mais ça n'aurait pas calmé les excités de la théorie du genre »*, commente François Hollande. Elle restera garde des Sceaux. À 8 h 15, François Rebsamen est dans son bureau du Sénat. « Manuel Valls » s'affiche sur son téléphone. *« François, je vais te faire entrer au gouvernement aux Collectivités territoriales ; tu porteras les textes de décentralisation, la réforme des régions et des départements... »* Rebs interrompt le premier ministre : *« Non ! Ne perds pas ton temps, Manuel, c'est niet ! »* François Hollande avait déjà tenté le coup en 2012. Le président téléphone à son tour. Le nouveau gouvernement, resserré, doit rassembler des poids lourds, du gros calibre. Rebs est incontournable. Homme de confiance de François Hollande lorsqu'il dirigeait le PS, fin connaisseur des arcanes du parti, des barons de provinces, des rapports de force avec les partenaires de gauche, c'est l'un des seuls à ne pas s'écraser devant le patron. Il tutoie Hollande, bien sûr, mais il l'engueule aussi parfois pour marquer son désaccord ou sa réprobation. *« François, vous ne serez que deux à entrer au gouvernement. Ségolène et toi !*

Deux pros ! argumente le président. *On veut te confier tous les textes de décentralisation, la réforme de l'État.* » Rebs l'interrompt : « *Expliquez-moi pourquoi vous ne voulez pas que je sois ministre de l'Intérieur !* » Ce que veut Rebsamen, c'est une explication franche avec Valls. « *Alors parlez-vous !* lance Hollande à son ami. *Manuel va t'appeler !* » 10 h 20. Les chaînes d'info font le pied de grue devant les grilles du palais.

Les éditorialistes s'épuisent à jouer les madame Irma sur la composition du futur gouvernement. François Rebsamen se fait prier. Manuel Valls se résout à l'appeler, après avoir préparé son texte. La conversation est brève. « *Je refuse de te nommer à l'Intérieur parce que tu as critiqué mes choix à Beauvau,* argumente le premier ministre. *Tu avais expliqué que si tu avais été nommé à ma place, tu aurais appliqué une gestion de gauche. Si tu vas à Beauvau, ça risque d'être le bordel pour nous deux.* » « *Je ne crois pas à ses arguments,* explique François Rebsamen quelques jours après son entrée au gouvernement, *mais ils sont recevables, audibles.* » Rebs rappelle Hollande. « *Je te propose le ministère du Travail, c'est toi qui porteras la promesse de la baisse.* » La proposition du président a de quoi surprendre celui qui se prépare depuis des années à être le premier flic de France. Mais il accepte. « *Il n'y connaît rien, mais il va se mettre au travail* », ironise Emmanuel Macron, alors secrétaire général adjoint de l'Élysée.

Ségolène Royal est l'autre symbole fort. Depuis plusieurs mois, la présidente de région et son ex-compagnon en parlent librement. Leur rapport, comme l'explique froidement le président, est « *uni-*

quement politique ». Aucun affect. « *D'ailleurs,* ajoute-t-il, *la présence de Valérie Trierweiler à mes côtés n'aurait plus constitué un obstacle à l'entrée de Ségolène au gouvernement.* » La question ne se pose plus.

François (Rebsamen) et Ségolène (Royal) rejoignent donc Stéphane (Le Foll), Jean-Yves (Le Drian) et Michel (Sapin) au gouvernement. Que des intimes ! Jean-Pierre (Jouyet), le vieux copain de régiment, entre à l'Élysée comme secrétaire général de la présidence. Deux ans après son arrivée à l'Élysée, François réunit autour de lui ses plus proches, persuadé qu'avec eux son quinquennat prendra enfin son envol.

14

La clarification

Le feu d'artifice est grandiose. La tour Eiffel s'embrase aux couleurs du drapeau en cette année de commémoration du centenaire de la Première Guerre mondiale. Ce 14 juillet 2014, sur la terrasse du théâtre de Chaillot, les invités triés sur le volet assistent au spectacle pyrotechnique en dégustant des macarons Pierre Hermé. La Mairie de Paris ne connaît pas la crise lorsqu'il s'agit d'honorer ses prestigieux invités. François Hollande est là. Son nouveau premier ministre, Manuel Valls, est venu accompagné de son épouse, Anne Gravoin. Le directeur de l'info de France Télévisions, Thierry Thuillier, s'approche du premier ministre et revient avec lui sur l'interview donnée l'après-midi même par le président. Manuel Valls est très critique. *« Franchement c'était du niveau des 4 vérités dans Télématin. Pas du niveau d'un président,* s'agace-t-il. *D'emblée vous lui posez des questions sur l'économie, la croissance, les résultats. Le 14 juillet, on dit d'abord un mot du défilé, du rassemblement ! C'est la fête nationale ! »* Un point de vue dont il a fait part au chef de l'État un peu plus tôt. *« Je suis classique !*

Le 14 juillet, on parle de la nation, du pays. Même s'ils t'emmènent sur l'économie, tu ne réponds pas. Tu prends le contrôle : "avant tout, je voudrais souligner l'importance de cette cérémonie du 14 juillet"… » François Hollande, qui se fait remonter les bretelles par son ancien directeur de la communication, l'admet : il n'a pas été bon !

Il regrette notamment de ne pas avoir eu le temps de s'exprimer longuement sur l'armée et ses missions extérieures en Afrique. Mais voilà, le président est normal. Pas assez président. « *Il répond aux questions,* commente, lapidaire, Manuel Valls en privé. *Il n'aime pas brusquer les gens, les reprendre. Il est respectueux. Très respectueux.* » La critique est suggérée mais bien présente. Le président n'en impose pas assez. Ne s'impose pas assez. Entouré de quelques journalistes à Matignon, le premier ministre assume sans complexe ses critiques à l'endroit de celui qu'il a servi pendant la campagne présidentielle et auquel il s'est imposé à Matignon après la débâcle des municipales. « *Le président est très abîmé. Il est confronté à un long travail de reconstruction, et le boulot qu'on abat au gouvernement ne suffira pas. Avoir des résultats ne suffira pas. Ni l'inversion de la courbe du chômage, ni le retour de la croissance ne le rendront à nouveau populaire. Il est le seul à avoir été désigné directement par les Français ; même dans le rejet qu'ils expriment à son endroit, c'est d'une relation personnelle entre lui et les Français qu'il est question.* » En ce début d'été 2014, même si les sondages se montrent plus cléments, soulignant les efforts de François Hollande pour se « *re-présidentialiser* », rares sont ceux qui parient sur sa réélection. À ce stade du quinquennat, le rapport avec Manuel Valls semble même s'inverser. Le premier ministre conduit la politique du gouvernement et s'applique à capter le maximum d'arbitrages avant qu'ils ne parviennent à l'Élysée. *« Je suis là pour qu'il y ait davantage de fluidité. Le mieux est qu'il se mêle le moins possible des dossiers,* indique brutalement le premier ministre, qui n'hésite pas à bomber le torse devant les journalistes. *Je ne suis pas un collaborateur, moi ! Il ne doit pas l'oublier. La contrepartie de ma loyauté est qu'il ne doit pas oublier qui je suis. Je suis le premier ministre !* » Le ton est presque cassant. Comme s'il avait François Hollande en face de lui.

L'intéressé n'aime pas le conflit. Il le contient, le refoule, l'étouffe. Mais le fait est que ses relations avec son premier ministre se dégradent assez vite. *« Rien ne se passe jamais comme il était prévu »*, souligne le président en retraçant une rentrée où tout avait été écrit à l'avance et où rien ne s'est passé comme il l'avait décidé. Le 15 août, autour d'un déjeuner en tête à tête à Brégançon, les deux hommes préparent les semaines toujours délicates du retour de vacances. D'abord, une première phase, présidentielle, avec une interview dans *Le Monde* pour réaffirmer le cap et mettre la pression sur l'Allemagne au niveau européen. Puis ce sera au tour du premier ministre de faire sa rentrée, avec l'annonce d'un grand plan logement, suivie de l'université du Medef puis du rassemblement des socialistes à La Rochelle. Tout est calé. Et pourtant, dès le déjeuner de Brégançon, une feuille de papier à cigarette se glisse entre les deux hommes. François Hollande reproche à Manuel

Valls son pessimisme trop marqué sur la situation économique et les faibles perspectives de croissance. Pendant tout le mois de juillet, le premier ministre a insisté dans la presse sur *« une croissance trop faible »* à venir. Dans sa volonté de préparer les esprits au pire, Valls contribue, aux yeux de Hollande, à noircir le tableau et donc à compliquer la tâche du gouvernement. *« Le 14 juillet, je donne une perspective un peu optimiste ; brutalement Valls passe, lui, au pessimisme ! Ce n'était pas très compréhensible »*, confie, contrarié, le président. Le premier ministre se fait gentiment recadrer. Malgré les dénégations des entourages, c'est le début d'une série d'anicroches qui va finir par installer de la méfiance entre les deux têtes de l'exécutif.

Un autre épisode vient encore compliquer cette rentrée maudite, soulignant un nouveau désaccord entre les deux hommes. Une semaine après l'interview du président au *Monde*, son propre ministre de l'Économie lui répond dans le même journal... pour expliquer en substance que la politique économique menée par la France n'est pas la bonne ! Arnaud Montebourg attaque, alors que François Hollande est aux Comores.

Le président, agacé, minimise en public. Mais l'échange est beaucoup plus froid avec son premier ministre. Il reproche en creux à Valls de ne pas tenir les troupes. Montebourg n'a pas soumis son interview à Matignon comme l'exige la règle gouvernementale, et Valls est, aux yeux du président, a minima coupable de négligence. *« C'est le point limite cette interview, je vais dire à Arnaud de ne vraiment pas aller plus loin à Frangy »*, annonce Manuel Valls.

Ce dimanche 24 août, Arnaud Montebourg parade sur ses terres de Frangy-en-Bresse. Comme chaque année, c'est lui qui lance la rentrée politique, entre ban bourguignon et envolées lyriques à la tribune. Mais cette année, sa fête de la Rose a des airs de révolution ! Arnaud Montebourg défie carrément l'Élysée en réclamant *« une inflexion majeure de la politique économique »*. Comme il en a pris l'habitude, le président reçoit à ce moment-là dans son bureau son ami Julien Dray pour un tour d'horizon politique. Le conseiller en communication Gaspard Gantzer frappe à la porte. Il fait un compte rendu rapide des déclarations de Montebourg et détaille la scène du ministre toisant le chef de l'État, une bouteille de la désormais célèbre « cuvée du redressement » à la main. Hollande se tourne vers Dray : *« Il a franchi la ligne jaune. »* Dans la nuit de dimanche à lundi, Montebourg, qui se rend compte qu'il est allé trop loin, fait passer des messages et promet qu'il va *« corriger le tir »*. Mais alors qu'il en a l'occasion dès le lendemain matin sur l'antenne d'Europe 1, il persiste et signe. Micros éteints, dans le bureau de Jean-Pierre Elkabbach, il va encore plus loin et joue les bravaches : *« Vous allez voir, on va le faire plier, le président ! »*

Au même moment, à l'Élysée, Manuel Valls écoute François Hollande lister les hypothèses. *« On peut soit sortir uniquement Montebourg... Soit Montebourg et Hamon... »* Le premier ministre approuve silencieusement. Cette option lui conviendrait. Un petit remaniement, a minima. Mais le président a une autre idée. Agacé par les sorties médiatiques des uns et des autres, il veut saisir l'opportunité de ce remaniement pour créer un électrochoc : *« Que ceux qui sont dans ce gouvernement sachent bien quelle ligne on applique. Qu'ils y souscrivent ou qu'ils partent ! »* Avec ces quelques mots, il renvoie son premier ministre à son échec politique. Valls n'a pas été capable de « tenir » Arnaud Montebourg et Benoît Hamon avec lesquels il avait pourtant « dealé » au moment de son arrivée à Matignon. Les deux fortes têtes avaient promis loyauté et sens de la discipline en échange de postes ministériels importants et de la prise en compte de leur sensibilité politique. Un accord intenable qui explose au visage de l'exécutif. C'était pourtant prévisible.

Il suffisait d'écouter Arnaud Montebourg quelques jours après la nomination de Manuel Valls à Matignon et sa promotion à Bercy pour comprendre que l'exécutif jouait avec le feu. *« Quarante points d'écart dans les sondages derrière son premier ministre… C'est dur pour lui quand même ! »* se gausse le ministre de l'Économie, qui reçoit à déjeuner quelques journalistes, ce 15 avril 2014. Ironique, acide, Arnaud Montebourg, nouveau maître de Bercy, a le triomphe immodeste. Les municipales désastreuses pour la majorité sonneraient selon lui la fin de tous ceux qui l'ont contraint, contenu, brimé pendant cette première partie du quinquennat. Pierre Moscovici exfiltré, son ennemi intime, Jean-Marc Ayrault, éjecté, Montebourg se voit en rescapé triomphant, porté par l'arrivée de son nouvel allié à Matignon. *« Ce n'est plus Macron –* le très libéral secrétaire général adjoint de l'Élysée pendant les deux premières années du quinquennat – *qui fixe la politique du gouvernement, d'ailleurs ce n'est plus non plus le président. Quand il y aura conflit... Eh bien on verra bien comment cela finira !* » s'enflamme Montebourg, qui envoie allégrement valser les institutions de la Ve République : « *La cohabitation s'installe ! Ça se sent !* » Pour lui, le pouvoir s'est mécaniquement déplacé. Ce président qui a tout ordonnancé pendant deux ans sans aucun résultat serait dépossédé de ses attributs. Par les électeurs aujourd'hui, et demain par la famille socialiste !

Dans son délire, le ministre du « made in France » s'affranchit de toutes les contradictions. Lui, le pourfendeur de la mondialisation, s'alliant avec Manuel Valls, l'homme qui voulait enterrer les sacro-saintes 35 heures ! « *On est sur une entente générationnelle. Tactiquement, on a toujours joué ensemble : prenez les primaires, en se battant lui et moi contre le centre mou Hollande-Fabius-Aubry, on s'est imposés dans le paysage !* » Une alliance tactique sur fond de fortes divergences politiques, on se dit que l'attelage n'ira pas bien loin. Montebourg, lui, est déjà monté assez haut. La guerre larvée contre l'Élysée a commencé. Et le ministre s'attend naturellement à une bataille féroce. « *La menace de la dissolution est bien réelle,* lance Montebourg. *Hollande veut nous faire le coup de Chirac en 1997. Il veut faire payer les parlementaires qui sont montés au front contre lui. C'est un cynique absolu, prêt à tout pour se survivre à lui-même.* » Qu'un ministre à ce niveau de responsabilité se livre à de telles agressions contre celui qui l'a nommé en présence de journalistes politiques est rare, très rare. Et pour souligner l'échec de Hollande, il n'hésite pas à faire un parallèle plus que douteux sur les promesses non tenues de ce quinquennat. « *On a été élus sur un discours contre la finance et pour l'emploi, on fait exactement l'inverse. Quand la gauche se renie, elle sombre. Rappelez-vous 1956 : la gauche est élue pour faire la paix en Algérie. Elle fait la guerre et accepte la torture pour terminer dans les poubelles de l'Histoire. On est en train de reproduire la même erreur aujourd'hui.* » L'affrontement est inévitable pour le chevalier blanc de Bercy, qui va jusqu'à expliquer que si Hollande tente de se lancer dans un nouveau mandat, tout sera fait pour l'en empêcher : « *Manuel et moi ferons alliance dans le cadre de la primaire pour combattre Hollande s'il tente de se représenter.* » Quatre mois plus tard, retour au réel. Le conquérant est éjecté du gouvernement. Une surprise de plus.

Entre novembre 2013 et août 2014, dix mois se sont écoulés. Dix mois de perdus pour le premier ministre. François Hollande, maître du temps, a, selon lui, tendance à en perdre beaucoup trop. Adepte de la décantation, il laisse son quinquennat filer en retardant toujours l'heure des choix. Une inertie qu'analyse très bien Manuel Valls : « *Je pense que sa décision du changement de premier ministre est actée dès l'annonce du pacte de responsabilité en janvier 2014, mais il veut attendre les municipales. Il ne me l'a jamais dit, mais je pense que cela s'est passé ainsi. Beaucoup avaient plaidé pour qu'il change Ayrault dès l'automne 2013, après l'affaire Leonarda. Ça n'a pas été son choix, je le respecte, mais ce qui est vrai, c'est que la clarification politique et humaine, elle se fait sur une longue période et, à mon avis, une trop longue période : entre janvier et le remaniement de la fin du mois d'août qui acte le départ d'Arnaud Montebourg et Benoît Hamon et l'arrivée d'Emmanuel Macron au gouvernement[1]. »*

1. Entretien avec les auteurs, le 4 avril 2016.

15

« *Que ceux qui sont* *dans ce gouvernement* *sachent bien quelle ligne on applique* »

« *Il y a plusieurs raisons à cette rentrée* [2014] *désastreuse. On sait que les chiffres de la croissance seront médiocres. On sait qu'on ne va pas faire les 3 %* [de déficit] *à la date prévue. On anticipe les tensions européennes autour de ces sujets. Enfin on prévoit que la situation en Irak avec l'avancée des islamistes va se durcir et appeler l'intervention française. Et puis il y a l'imprévisible : Frangy. Cette fête de la Rose est toujours folklorique, mais on n'imagine pas que Montebourg va en faire autant ! Il avait fait une interview dans* Le Monde *qui était déjà* [grimace] *un peu limite. Mais cela ne justifie pas une sortie du gouvernement. On sait que Frangy arrive et qu'il va s'exprimer à nouveau, donc on ne bouge pas.*

Quand son interview est publiée, je suis aux Comores. Je me limite à un commentaire très sobre. C'est Valls qui lui demande de ne pas aller plus loin à Frangy. On s'attend à ce qu'il reparle des rapports avec l'Europe, de la remise en cause des 3 %. Mais il va plus loin ! Il demande une inflexion de la politique économique, ce qui est inadmissible. Parce que ça veut dire que ce qu'on vient de présenter, le pacte de responsabilité, ça ne suffit pas, qu'il faudrait faire autre chose ! Ça nous met dans une position d'"'infiabilité" vis-à-vis de nos partenaires. Ils vont nous dire : "Vous nous présentez une politique et vous n'êtes même pas sûrs que c'est la bonne aujourd'hui." Ce n'est pas sérieux. Montebourg, il n'est pas ministre du Redressement productif, il est ministre de l'Économie. Les mots ont quand même un sens !

Je ne regarde pas le discours de Frangy. Je vois la dépêche, je regarde ensuite les extraits sur les chaînes d'info. Ce n'est pas tant la forme qui me choque. Je connais l'ambiance de Frangy, j'y suis allé, je connais Montebourg ! Mais il est ministre ! Le problème, c'est la conjonction de la "cuvée du redressement" qu'il m'envoie devant les caméras avec la phrase sur le changement de politique économique ! C'est trop ! Benoît Hamon, qui est aussi à Frangy, dit qu'il s'est fait piéger, qu'il s'est laissé entraîner. C'est peut-être vrai, mais il est pris par la patrouille.

Le soir même avec Valls, on se parle. On se dit : "Qu'est-ce qu'on peut faire ?" Ne rien faire, c'était laisser planer l'incertitude sur la ligne du gouvernement, sur le défaut d'autorité. Donc le lundi matin, je revois Valls : la question est de savoir s'il suffit de n'auditionner que Montebourg et Hamon. Montebourg s'exprime au même moment sur Europe 1, et je crois qu'il ne s'attend pas à ce qui va arriver. C'est le problème, d'ailleurs. Il lui manque quelque chose dans le sens de la responsabilité politique. Il manque de maturité. À plusieurs reprises, il avait exposé des différences dans le Conseil des ministres, ce qui était bien. C'est le rôle du Conseil de permettre le débat. Les entretiens réguliers que Valls avait avec lui jouaient aussi leur rôle. Donc je ne pensais pas qu'il allait franchir la ligne rouge. Mais il en aurait franchi d'autres de toute façon. Tôt ou tard. Donc le lundi matin, la première option, c'est : on sort juste Montebourg et Hamon.

Mais je choisis une autre option : il faut une opération choc. On convoque tous les ministres et on pose la question à chacun. Que ceux qui sont dans ce gouvernement sachent bien quelle ligne on applique ! Ce qui était d'ailleurs explicite depuis le mois d'avril. Il faut se souvenir qu'à ce moment-là, Valls conclut un partenariat avec Montebourg et Hamon qui lui permet de me dire qu'il est un premier ministre de rassemblement. Le pacte de responsabilité avec Montebourg à l'Économie, c'était leur deal ! Et à Hamon, on lui garantit les crédits qui allaient au ministère de l'Éducation. Donc, quand Montebourg s'échappe et que Hamon commence à douter, c'est grave aussi pour le premier ministre. C'est plus grave pour lui que pour moi.

Je n'ai aucun contact avec Montebourg. À partir du moment où on a convenu de s'en séparer, c'est Valls qui s'en charge. Hamon, c'est différent. Je sens qu'il est partagé. Il me dit : "J'ai vécu cinq mois extraordinaires comme ministre de l'Éducation, et en même temps je ne peux pas faire autrement que de partir, parce que j'étais à Frangy. Personne ne comprendrait que je ne sois pas dans la même situation qu'Arnaud Montebourg."

Nous sommes donc obligés de changer de gouvernement, ce qui n'était pas prévu. Il faut remplacer Hamon, Filippetti et Montebourg. Je veux un rajeunissement et finalement Valls y souscrit. On aurait pu prendre des personnalités d'expérience. Vous vous souvenez de Jospin après le départ de Strauss-Kahn ? Il fait rentrer Fabius, Lang, Tasca. Moi je me suis dit qu'il fallait faire le contraire. Lang reste un homme apprécié, Élisabeth Guigou reste disponible, Jean Gla-

vany aussi... Il y avait des personnalités éminentes et dont on connaît la fiabilité. Mais je fais le choix de la jeunesse : Najat à l'Éducation, Fleur Pellerin à la Culture.

Il y a la question de l'Économie : on peut ne pas remplacer Montebourg et mettre Sapin ministre de tout. Retour à une conception de Bercy très traditionnelle. Inconvénient : je donnais l'impression que Montebourg disparaissait, et son ministère avec lui. Comme si ce ministère lui avait "appartenu". Or il a du sens, ce ministère. Montebourg y a fait des choses : les plans de redressement industriels, l'idée du redressement productif, l'innovation, les plans de redressement type Alstom. Sapin est très occupé par les affaires européennes et internationales, donc il faut trouver un ministre de l'Économie. Deux possibilités : soit une personnalité politique, soit Macron.

Pour le premier gouvernement Valls, j'avais écarté Macron. À l'époque, il était question de lui confier les Finances qu'on a finalement confiées à Sapin. Macron a des compétences, mais il n'avait jamais été confronté à des discussions budgétaires. Donc, ce n'était pas possible. En revanche, pour l'Économie, c'est le bon ministre. Il se trouve que Macron et Montebourg s'étaient plutôt bien entendus sur les dossiers industriels. Ensuite, contrairement aux idées reçues, Macron est plus étatiste que libéral. C'est un homme de gauche. Enfin, il connaît bien mieux le monde de l'entreprise que celui de la finance. Ce n'est pas un financier. Il travaillait dans une banque d'affaires qui faisait des investissements industriels, des restructurations. Seul inconvénient : il n'a aucune expérience politique. Jamais élu. Avantage en revanche : il est connu à l'international, notamment des Allemands. Et ça peut être un argument en notre faveur au moment de renégocier notre trajectoire de réduction des déficits.

91

Par ailleurs, Macron est un garçon gentil. Un garçon simple. Et il m'est totalement fidèle. Il m'a rejoint en 2010, il a fait la campagne à mes côtés avec Sapin. Il s'occupait des chiffrages. Il a accepté de diviser son salaire par dix en venant travailler à l'Élysée avec moi ! Quand il est parti, il n'a pas sauté dans le premier wagon pour aller chercher dans le privé une rémunération exceptionnelle. Il envisageait plutôt de se tourner vers l'enseignement et de monter sa boîte de conseil. Lorsque je lui propose le ministère de l'Économie, je le lui dis : "C'est un choix de vie pour toi, ce n'est pas sans conséquence, ça marque une carrière." Il accepte rapidement. Le nommer, ça a un sens politique. Montebourg s'en va, Macron arrive. Ça donne le sentiment que le gouvernement a changé de direction ! Alors qu'il est exactement sur la même ligne. Mais après cette nomination, le discours de Valls au Medef, son "J'aime l'entreprise", prend un autre tour. »

16

L'affranchi

Un immeuble cossu de l'avenue de Messine à Paris, un majordome nous accueille dans un salon de la banque d'affaires Rothschild où a été dressée une table pour le déjeuner. *« M. Macron vous demande un instant. »* Vaisselle en porcelaine fine, couverts en argent, grands crus classés sur la console en marbre, celui que nous avions invité à déjeuner nous reçoit dans un cadre fait pour honorer industriels et financiers venus conclure des affaires à plusieurs centaines de millions d'euros. C'est d'ailleurs la raison pour laquelle le jeune banquier a préféré que nous nous déplacions dans ses locaux plutôt que d'accepter notre invitation dans un restaurant. *« Bonjour ! »* la voix résonne, le sourire est lumineux, le regard « allumé ». *« J'ai préféré qu'on se voie ici, parce que j'ai un deal à deux milliards à conclure à côté... Ça ne vous dérange pas ?! »* Accrochés à nos petits carnets pour recueillir les confidences de l'homme qui a en charge le programme économique du candidat Hollande, nous tentons de donner le change de la décontraction.

Ce jour de décembre 2011, le repas va durer une heure trente montre en main. Pas question de faire capoter « *un deal à deux milliards d'euros* ». Une heure trente d'un récit où l'on comprend l'importance de ce jeune banquier, absolument inconnu des médias à l'époque, dans la campagne de François Hollande. Son expertise ne se limite pas à l'économie. Ceux qui l'y enfermeront les années suivantes, lorsqu'il sera en pleine ascension, en seront pour leurs frais. Le surdoué décortique l'entrée en campagne de la primaire. Les fautes de Martine Aubry à l'été 2011 alors que Dominique Strauss-Kahn s'est mis hors jeu. L'interview décisive de François Hollande au *Journal du Dimanche*, au cœur de l'été, sur l'économie, la maîtrise des déficits et l'Europe. Le futur chef de l'État suit en voiture la quatorzième étape du tour de France dans les Pyrénées, il ne lâche pas son téléphone pour lire, relire, réécrire son interview avec Emmanuel Macron. Le banquier n'est pas seulement un fin politique et un économiste compétent, c'est aussi un formidable conteur. Les erreurs de Sarkozy, la bulle Mélenchon... Il lit la politique en passionné et en expert. Déjà. Mais il reste dans l'ombre. Efficace, fidèle. Pour pouvoir l'approcher, il faut que le candidat Hollande donne son autorisation. Mais pour cela, encore faut-il connaître son existence.

Quatre ans plus tard, ce jeune banquier qui ne connaissait rien à la politique a déjà franchi quatre à quatre les marches du pouvoir. Après deux années passées auprès du président à l'Élysée, il occupe désormais le bureau le plus prestigieux de Bercy et ne compte pas s'arrêter là ! « *En marche !* » Emmanuel

Macron lance son cri primal d'animal politique à Amiens le 6 avril 2016. « *Ni de droite ni de gauche !* » L'expression, maladroite, est corrigée quelques jours plus tard en un « *Et de droite et de gauche* » qui ne trompe personne. Rétrogradé dans l'ordre protocolaire du dernier remaniement, dépossédé de la loi sur la réforme du travail, lassé de se faire cadenasser par un premier ministre qui n'aime pas qu'on lui fasse de l'ombre sur le terrain du réformisme, l'homme pressé part en solo. Désormais, il s'est mis à son compte. À peine a-t-il prévenu le président de son initiative, le week-end précédent. Le jeune ministre s'affranchit. C'est le lendemain du remaniement gouvernemental, le 12 février 2016 au matin, qu'il prend la décision de créer sa propre organisation. « *On aurait voulu se tirer deux balles dans le pied, on ne s'y serait pas pris autrement* », lâche-t-il à un proche de Hollande en découvrant les titres de la presse sur le remaniement-bricolage du président. Pour lui, la page du quinquennat est tournée. Il faut préparer la suite.

« *Il sait ce qu'il me doit.* » Cette phrase que le président lance à la télévision dans l'émission « Dialogues citoyens », le 14 avril 2016, pour calmer les assauts de son jeune ministre, l'intéressé la renverrait bien en boomerang à ce président qui lui doit beaucoup plus qu'on ne le croit. Finie la domestication. La bête Macron s'est réveillée. « *Je prends mon risque* », lance l'ambitieux ministre à sa petite garde rapprochée, les jours précédant le lancement de son organisation politique. À coups de déclarations explosives sur la suppression de l'ISF ou sur le bilan critique du quinquennat (toujours en cours !) de François Hollande, Emmanuel Macron parle. Librement. *« Cette gauche ne me satisfait pas ! »* Ce président non plus ne le satisfait plus. Mais là encore, personne ne le mesure vraiment.

Pourtant, au cœur de l'automne 2013, celui qui est encore secrétaire général adjoint de l'Élysée est déjà gagné par la déception. À l'inverse des autres membres du cabinet présidentiel, lui s'inquiète et ne s'en cache pas. Il souffre. Il souffre *« d'une majorité parlementaire qui ne nous aide pas, qui avance par saccades »*. Il souffre aussi des incohérences trop nombreuses arbitrées par le président lui-même. *« Sur le crédit d'impôt aux entreprises, on a trop donné ! Aujourd'hui, on leur reprend 2 milliards et demi en augmentant l'impôt sur les sociétés, c'est désastreux ! Les mecs ne nous comprennent plus à l'étranger ! »*

Très réceptif aux signaux du monde des affaires, beaucoup trop pour certains, l'ancien associé de la banque Rothschild avait envisagé sa mission comme celle de la grande réconciliation entre une gauche clairement social-démocrate et le monde du business. Il a vite déchanté. Et il le dit avec des mots que seul un conseiller sûr de lui et de ses ambitions oserait employer. Il a le sentiment d'essayer de tenir un cap alors qu'*« un type à l'arrière du bateau donne des petits coups de gouvernail à droite, hop ! à gauche, hop ! »*. Ce « type » contre lequel Macron s'énerve ce petit matin d'octobre, c'est le président ! Le conseiller préféré du palais avoue sa lassitude. Un chef de l'État qui navigue à vue et fatigue ceux qui essayent de s'adapter aux mouvements brusques. Les petits coups de gouvernail dans une barque, cela se gère.

Sur l'énorme rafiot rouillé France, c'est plus compliqué. Pour Macron, cette gouvernance par à-coups s'explique par « *la claustrophobie de Hollande. Il ne veut surtout pas se laisser enfermer sur un choix ou une ligne définitive* ». Le problème, selon lui, c'est que cette présidence irrésolue « *navigue par gros temps* ». L'analyse est terrible : « *On est dans une ambiance années trente. Nous, on court après un dogme monétaire qui ne veut plus rien dire, et au nom duquel on étrangle nos peuples, et dans le même temps, on assiste impuissants à une banalisation du populisme en Europe. Un peu comme quand le maréchal Hindenburg avait nommé Hitler chancelier et avait dit : "Il est comme nous au fond, c'est un protestant."* » Un climat auquel s'ajoute le sentiment de ras-le-bol fiscal, « *sujet éminemment éruptif en France* », estime le secrétaire général adjoint de l'Élysée, qui nous parle ce matin d'automne 2013 comme si nous jouions un rôle d'exutoire.

Il a donc fini par partir, par jouer sa carte. Seul contre tous. Pour certains, la bulle se dégonflera, fragile et illusoire : « *Il est haut dans les sondages. Quand les gens d'Havas vous disent tous les jours que vous être très beau, et que vous êtes soutenu par des amis milliardaires... Comment ne pas y croire*, ironise Matthias Fekl, ministre du Commerce extérieur. *Mais tout cela, c'est du fantasme pour les dîners du Siècle ! C'est de l'entre-soi ! Ça ne rapporte aucune voix dans l'isoloir !* » D'autres le prennent de haut en public : « *Il n'a pas les codes* », persifle Jean-Marie Le Guen. Manuel Valls, lui, s'agace de la complaisance des journalistes : « *Vous ne lui tendez pas beaucoup de pièges !* » Dès qu'il parle d'Emmanuel Macron, le premier ministre se surveille. Mais la haine est perceptible dans les entourages. *« Combien de fois on a entendu à Matignon qu'on allait nous briser ! »* rappelle un conseiller du ministre de l'Économie.

Et le président, quel avenir lui voit-il ? *« Il est hors des partis politiques, Emmanuel est ailleurs. Mais c'est un ailleurs déjà très occupé, par Bayrou, par Marine Le Pen. »* Comme une prédiction sur des lendemains qui déchantent. François Hollande, promoteur d'une nouvelle génération politique, ne croit pas, au fond, à la politique « autrement », hors des partis. *« L'aspiration à quelque chose de nouveau est très forte,* analyse le chef de l'État, *mais les pratiques politiques restent les mêmes. Ne pas être dans un parti finit toujours pas poser un problème quand on aspire à conquérir le pouvoir*[1]. *»*

---

1. Entretien avec l'un des auteurs, le 24 mai 2016.

17

« *J'ai nommé Macron,
je lui fais confiance* »

« *Emmanuel m'annonce qu'il lance son mouvement quelques jours avant de le faire. Le samedi précédent, à l'Élysée. Le Cevipof vient de faire une étude assez rude sur la préparation de l'élection présidentielle, l'état de l'opinion et la situation politique. À cette occasion, je demande à Brice Teinturier, d'Ipsos, et au patron du Cevipof de faire une présentation à l'Élysée. J'y convie plusieurs personnes : Ségolène Royal, Emmanuel Macron et Julien Dray. Cela a été présenté comme une réunion de campagne, ce n'était pas le cas. Qu'est-ce que montre cette étude ? Elle confirme le décrochage de notre électorat et la conclusion logique, c'est donc qu'il faut aller le rechercher. C'était intéressant de montrer que la qualification au premier tour – qui est sans doute aujourd'hui à un niveau plus élevé qu'en 2002 et en 2007 – suppose de rassembler des électeurs qui aujourd'hui sont dans l'abstention ou dispersés. Le niveau de qualification pour le second tour, aujourd'hui, pour le candidat de gauche, quel qu'il soit, c'est 22, 23 % au premier tour.*

Manuel Valls n'a aucune raison d'être présent à cette réunion ; en revanche, Macron, qui a été conseiller ici, cela m'intéresse d'entendre ce qu'il peut dire de ce constat. Au même titre que Ségolène parce qu'elle a été candidate en 2007 – elle a du sens politique. Royal et Macron sont deux personnalités originales. Leur réaction m'intéresse. Julien Dray, lui aussi, est un personnage hors normes, à tous égards – il peut avoir une analyse éclairante. C'est à l'issue de cette séance qu'Emmanuel Macron, dans un aparté, me prévient qu'il lance son mouvement dans la semaine. Mais ce n'est pas la première fois qu'il m'en parle. Il l'avait en tête depuis plusieurs semaines.

La première fois qu'il me fait part de cette idée de lancer son propre mouvement, c'est en janvier [2016]. Il me dit que des gens veulent s'exprimer en son nom, qu'il veut garder la maîtrise du processus et qu'il ne tient pas à ce que des politiques y soient associés pour ne pas donner un caractère trop marqué. Dans son esprit, il faut éviter que ce soit perçu comme un parti politique. Il exprime le souhait d'attirer des citoyens qui sont éloignés de la politique ou qui ne sont pas spontanément de gauche, ou éventuellement de gauche mais qui sont à la recherche d'une nouvelle inspiration.

Il lance son mouvement à Amiens, début avril. Sur la forme, aucune surprise, il respecte parfaitement ce qu'il m'a décrit. Sur le fond, il a cette phrase "Ni de gauche ni de droite" qui est une erreur et qu'il a d'ailleurs par la suite corrigée. Je lui en ai fait la remarque. Il doit affirmer qu'il est de gauche, ce qui est vrai : son histoire est celle de la gauche. Et qu'il veut – ce qui est bien légitime – attirer des gens qui ne sont pas de gauche : ça c'est de la politique. Quelques jours plus tard, le 21 avril, il donne une interview à la presse régionale, dans laquelle il y a une allusion sur le fait qu'"il n'est pas mon obligé". Le lendemain, nous nous retrouvons à l'Élysée, Manuel Valls, Macron et moi, pour une réunion sur l'avenir d'EDF. Je lui dis "non"...

Cette interview au Dauphiné libéré, *ça ne va pas. Il m'explique qu'il avait voulu rectifier, que le journaliste avait déjà balancé "son affaire", qu'il avait repris le mot du journaliste. Il fait une rectification à l'AFP et il m'assure de sa loyauté dans l'interview suivante donnée au* Journal du Dimanche, *interview que je l'autorise à faire.*

Concernant ses propos répétés sur "les erreurs du début de quinquennat", le côté "on n'a pas été assez loin", là aussi, il doit faire attention. Il y a un moment où il faut assumer, c'est vrai. Moi-même je l'ai fait en concédant qu'on n'avait peut-être pas suffisamment évalué l'ampleur de la crise industrielle. Mais dans une bataille qui s'ouvre, si on met d'avantage l'accent sur les regrets et les erreurs que sur les audaces et les réussites, vous ne pouvez pas tenir ! Vous donnez des arguments à l'opposition qui va embrayer : "Si vous pensez que vous avez fait des erreurs, laissez la place !" Nicolas Sarkozy, en 2012, s'était posé la question de savoir s'il devait concéder des erreurs ou non pendant la campagne. Il l'avait fait tardivement, sur le bouclier fiscal. Ça ne lui avait pas profité.

Le principe qui est le mien, c'est de faire confiance. Et cela vaut en particulier pour Emmanuel Macron. Parfois on peut être déçu, surpris positivement, conforté. Le principe que j'applique reste le même : je fais confiance. J'ai nommé Macron, je lui fais confiance. J'ai nommé Valls premier ministre : je fais confiance. Ce fut le cas également pour Jean-Marc Ayrault. Une confiance qui, pour Ayrault comme pour Valls, n'a pas été altérée, froissée. Jamais je n'ai eu de leur part la moindre suspicion de défaut de solidarité ou de déloyauté. Cela ne veut pas dire qu'ils aient été toujours d'accord avec moi, ou qu'ils n'aient pas été froissés euxmêmes par des décisions que j'ai pu prendre.

Pour en revenir à Macron, j'attends de lui qu'il soit davantage ministre de l'Économie et qu'il fasse de la politique en partant de son domaine ministériel. Il peut parler d'autres sujets, mais je souhaite d'abord qu'il valorise ce qu'il fait et ce qui a été accompli. Qu'il apporte des idées nouvelles, c'est tout à fait nécessaire. Quand je nomme des gens de la jeune génération : il y a Macron, mais il y en a d'autres – Najat Vallaud-Belkacem, Myriam El Khomri, ou d'autres... – c'est pour leur donner la possibilité de se révéler. Il ne s'agit pas ensuite de les contraindre ou de les contenir. J'ai, de ce point de vue-là, en tête le souvenir de Mitterrand qui avait renouvelé, mais tardivement, au cours de son second mandat. Ségolène Royal, Élisabeth Guigou, Martine Aubry, à l'époque, incarnaient ce renouvellement des générations. Mais elles sont apparues dans le second mandat. Moi je n'ai pas voulu attendre, je pense qu'il est très important, notamment avec l'accélération du temps médiatique, qu'il y ait de nouveaux visages. Certains sont populaires, d'autres non. On connaît assez bien les raisons de la popularité de Macron, elles sont classiques.

Il est populaire parce qu'il a lui-même un talent qui s'entend. Ce qu'il dit également est intéressant. Mais il est populaire surtout parce qu'il n'est pas politique, il est populaire parce qu'il est nouveau, il est populaire parce que, précisément, il transgresse un certain nombre de clivages ou de règles de la vie politique. Ce sont des ressorts connus. D'autres que lui ont une popularité comparable, c'est le cas par exemple de Nicolas Hulot. Tout ce qui est détaché de tout appareil politique ou des vieilles structures, ça fonctionne. Le fait de ne pas avoir de mandat est également, dans un premier temps, un avantage aux yeux de l'opinion. On se dit du coup que Macron peut faire de la politique aujourd'hui et autre chose demain, cela le crédite d'une forme de liberté. Ce phénomène n'est pas nouveau dans une société à la fois très conformiste sur ses convictions, ses rites politiques et en même temps très iconoclaste à travers les personnages qu'elle use.

Il ne faut pas non plus sous-estimer l'effet médiatique. La presse fait d'un certain nombre de sujets des objets. Macron, en dehors de sa propre personnalité et de ses propres intentions, est un objet médiatique en tant que tel.

Mais, aussi populaire soit-il, je ne peux pas me présenter à une nouvelle élection avec "un ticket" comme certains veulent le faire croire. Macron serait la couleur d'un second quinquennat ? Dans une élection, il faut que toutes les options soient ouvertes au titre des personnes. Aucune ne doit être refoulée. S'il y a un second mandat, on peut se dire que Macron aura un rôle important. Mais l'élection, c'est d'abord réussir une addition au premier tour, et Macron attire des électeurs qui ne viendraient pas forcément au premier tour. Il ne peut donc pas être l'unique carte. Dans un jeu, vous devez avoir plusieurs cartes, non pas pour substituer l'une à l'autre, mais pour faire un jeu justement. Pour qu'il y ait une offre gagnante. »

18

Charlie

18 janvier 2015, la cloche du salon d'attente vient de sonner la demi-heure. En ce dimanche de janvier, le palais a retrouvé son calme et les huissiers leur sérénité. Une semaine plus tôt, des chefs d'État et de gouvernement du monde entier s'agglutinaient dans le hall du Château pour présenter à la France et à son président leurs condoléances. La marche du 11 janvier avec ses millions de « Charlie » défilant dans les plus grandes villes du pays restera l'un des moments les plus forts de l'ère Hollande.

« C'est la semaine où je suis devenu président dans le regard de beaucoup de gens », nous confie le chef de l'État une semaine plus tard. En ce mois de janvier 2015, François Hollande trouve – enfin ! – les mots pour parler au pays et les gestes pour réconforter les victimes. Sa gestion post-13 novembre sera un échec retentissant, mais ses réponses post-Charlie lui confèrent effectivement un nouveau statut, si bien que sa cote de popularité s'envole dans les sondages.

Il est 16 h 30. Le président vient de déjeuner avec ses enfants dans les appartements privés de l'Élysée. *Le Monde* titre sur ces « *7 jours qui ont changé la France* ». Thomas Hollande estime, lui, que les attentats du 7 janvier n'ont pas réellement transformé son père mais qu'ils ont simplement décalé la focale et changé le regard des autres. « *Charlie, ça n'a pas changé Hollande, ça a changé la perception que les gens avaient de lui. Lui était déjà préparé à ce genre d'épreuves par les décisions d'engagement de l'armée au Mali ou en Centrafrique. Les moments où tu dois appeler les familles d'otages tués ou de militaires morts en opération, ce sont des événements qui te font habiter la fonction.* »

« *C'est quelqu'un qui est foncièrement indécis. Tant qu'il ne sait pas quelle est la bonne décision, il repousse, il attend. Mais dans les cas de prise d'otage ou d'opération militaire, il faut décider en cinq secondes. "Est-ce qu'on y va, est-ce qu'on n'y va pas ?" Cinq secondes pour choisir. Dans ces moments-là, il a forcé sa nature et ça l'a changé, ça lui a donné une dimension différente. Des familles d'otages qui vous reprochent d'être intervenu comme ce fut le cas pour Denis Alex, tué en Somalie, et qui vous reprochent de ne pas avoir payé une rançon. Ce genre d'épreuves renforce. Cela donne l'obligation d'être certain de son choix. Il faut l'assumer. On ne peut plus dire : je me suis trompé, quand un otage est mort par exemple. Ça crée une détermination et une absence d'hésitation*[1]. »

---

1. Entretien avec les auteurs, le 6 mai 2015.

19

« *J'ai montré que le pays était dirigé.* *Dirigé par moi* »

« *Lorsque je me rends sur les lieux de* Charlie Hebdo, *je pressens que le bilan va être très lourd. Que l'on est face à quelque chose d'énorme. Je parle d'"attentat" tout de suite parce que je viens de parler avec les témoins. Je sais déjà qu'il y a des victimes et que ce n'était pas un tir de rafale. Au début, on pouvait imaginer être sur un acte similaire à ce qu'il s'était passé à* Libération, *l'acte d'un fou ou d'un déséquilibré. Mais là, tout ce que j'ai comme information, c'est qu'ils sont venus pour tuer.*

Je suis à mon bureau, j'écris un discours. Je sais qu'il s'est passé quelque chose mais je n'ai aucun détail. À ce moment-là, Patrick Pelloux appelle. Il passe d'abord par le secrétariat de l'Élysée. Il appelle deux fois. Quand je le prends au téléphone, il crie : "C'est affreux, c'est affreux ! Ils sont tous morts." Mais il dit ça dans des sanglots, c'est très difficile de comprendre avec précision ce qu'il me dit. Gaspard Gantzer entre dans mon bureau au moment où j'ai Pelloux au téléphone. Je dis à Gaspard : "On part." Si j'avais écouté les services de sécurité, je n'y serais pas allé aussi vite. Ils étaient contre. Ils craignaient qu'il y ait encore des complices dans la zone.

C'est très embouteillé pour arriver sur les lieux. Du coup, je descends de voiture. Je marche 200 ou 300 mètres sur le boulevard Richard-Lenoir, seule façon d'arriver. Je n'avais pas le choix et c'est vrai que je prenais un risque. Quand j'arrive, je sais que Charb est mort. C'est plus flou pour Wolinski et Cabu. On ne sait pas précisément qui était présent ce matin-là à la conférence de rédaction. On aura la liste des morts assez tard, vers 13 heures.

Je n'entre pas à l'intérieur parce que les enquêteurs sont en plein travail. Ils sont en train de collecter les douilles et tout ce qui sera nécessaire à l'enquête. Valls, qui est venu sur place après moi, a pu entrer. Lui a vu les corps.

Je fais une déclaration très tôt. Mais à ce moment-là, je ne sais pas si c'était commandité ou pas, je ne sais pas qui sont les meurtriers. Je comprends que ce n'est pas l'acte d'un fou, d'abord parce qu'ils sont deux. On peut être fou seul, on n'est jamais fou à deux. Ils se sont trompés d'adresse, mais ils sont venus un mercredi parce qu'ils savaient que c'était le jour de la conférence de rédaction.

Très tôt dans l'après-midi, on a les premiers éléments de l'enquête à l'Élysée. Je suis en réunion avec mon cabinet, Cazeneuve, les patrons des services de police et du renseignement. On apprend qu'on a retrouvé la carte d'identité d'un des tueurs dans la voiture abandonnée. Les frères Kouachi sont donc identifiés. Et dans cette réunion, Patrick Calvar [le directeur général de la sécurité intérieure], relie immédiatement Kouachi à Al-Qaïda au Yémen. Nous [le] savons à 15 heures le mercredi. C'est nous qui le signalons aux Américains et non l'inverse comme cela sera raconté ensuite.

En fin d'après-midi je vais à l'Hôtel-Dieu pour voir les survivants. C'est un moment très douloureux. Il y a beaucoup d'abattement, de malheur. Ces femmes, celles qui étaient dans les locaux, me disent : "Alors ils l'ont fait !" Sous-entendu, les terroristes ont peut-être gagné la partie, ils ont anéanti Charlie ! Elles me racontent cette idée terrible que les bourreaux les ont épargnées juste parce qu'elles étaient des femmes.

Je comprends que c'est un moment qui va créer une émotion considérable. Moi-même je suis très ému. Parce que la plupart de ceux qui sont morts, je les connais. J'avais vu Cabu au mois d'octobre. Ici, dans ce bureau. Il était venu m'interviewer pour un film sur les caricatures en politique. À la fin de l'été, j'avais déjeuné avec l'ensemble des journalistes. Il y a Bernard Maris aussi parmi les morts, que je connais bien. Le journal a été plusieurs fois menacé, incendié. Il y avait eu un procès en 2010. J'y avais participé comme témoin. Charlie Hebdo, *on le recevait ici à l'Élysée. Je le lisais encore.*

Le soir, avant d'intervenir à la télévision et de lancer un appel à l'unité nationale, je me pose deux questions : le traitement réservé à Nicolas Sarkozy et la façon de consulter Marine Le Pen. Je dois recevoir les groupes politiques représentés à l'Assemblée nationale – Marine Le Pen ne possède pas de groupe – et je ne peux pas faire venir Nicolas Sarkozy avec Jean-Christophe Lagarde, Pierre Laurent ou Jean-Christophe Cambadélis !

Je décide de recevoir Nicolas Sarkozy le premier, le jeudi matin. Il est chef de parti et non chef de groupe à l'Assemblée. Ça me permettra de recevoir les chefs de partis non représentés à l'Assemblée.

Mercredi soir, je l'appelle vers 22 heures. Je compose le numéro de téléphone portable que l'on m'apporte depuis mon bureau. Le nom s'affiche, il est toujours enregistré dans le téléphone de ce bureau ! Je lui dis que je le recevrai le lendemain à 9 heures.

C'est la première fois qu'il revient à l'Élysée depuis sa défaite. Il ne semble pas ressentir d'émotion particulière. Il est très soucieux du protocole, il aurait relevé tout manquement, notamment si je ne l'avais pas traité "à part". Le principal sujet que nous abordons est la manifestation. "Je ne peux pas m'y rendre avec Cambadélis, les chefs de partis, Marine Le Pen !...", me dit-il. Il me demande si j'y vais et s'il est possible d'organiser un départ de l'Élysée avec les hautes autorités de l'État. À ce stade, je ne sais pas encore si je viendrai, mais il y aura des ministres, des anciens Premiers ministres, et je l'assure qu'il y aura donc bien un point de départ commun.

Il m'explique ensuite qu'il va exiger des renforcements des mesures de sécurité pour le pays. Je lui réponds que je ne vais pas faire une nouvelle loi alors même que ces événements ne sont pas terminés. Je comprends qu'il veut faire un coup politique, ne pas laisser récupérer le sujet par d'autres et notamment par le Front national. Il veut une confrontation droite/gauche sérieuse, bien visible. Je pressens qu'il pense que la présidentielle se fera sur la question de l'islam, le "vivre-ensemble", pas sur l'économie. Donc il veut préempter le sujet sans attendre.

Tard le mercredi soir, après avoir eu Nicolas Sarkozy, j'essaie de joindre Marine Le Pen au téléphone. Mais on n'a pas son numéro personnel ! On essaye de joindre Florian Philippot, Louis Aliot. Je ne voulais surtout pas que le Front national se dise exclu de l'unité nationale. On finira par avoir son numéro de portable et mon directeur de cabinet lui laisse un message.

Lorsque je la vois, Marine Le Pen me dit qu'elle a des

propositions à faire sur Schengen. Je lui réponds que ce n'est pas le sujet : "Ce n'est pas entre Montrouge et Argenteuil qu'on va déployer des douaniers. Ce sont des Français qui ont fait ça !" Marine Le Pen m'apostrophe sur la manifestation : "Vous êtes responsable, à vous de dire au chef du PS qu'on ne peut pas nous mettre dehors !" Je lui réponds que des partis peuvent appeler à manifester, comme les syndicats, comme les défenseurs des droits de l'homme. "Si vous voulez vous y rendre, je garantis en tant que chef de l'État votre sécurité." Elle était un peu ébranlée. Plus tard dans la matinée du vendredi, je reçois Robert Hue. C'est lui qui me suggère l'idée d'internationaliser le défilé : "S'il y avait des chefs d'État et des invités étrangers, ça créerait une ambiance, ça nous sortirait de la bataille politique."

Il se trouve que le vendredi après-midi, j'ai Merkel au téléphone. "Si tu veux qu'on se voie à Strasbourg dimanche, comme c'était prévu, pas de problème. Je peux aussi venir à Paris, me dit-elle, je peux venir manifester." Juncker (le président de la Commission européenne) voulait venir lui aussi, Renzi et Cameron étaient déjà partants. Tous les Européens ont suivi. Ça a changé la donne.

Netanyahou appelle. Il fait savoir qu'il est prêt à venir. Il me dit que plusieurs responsables de la droite israélienne font le déplacement et qu'il ne peut pas être absent. Surtout après l'Hyper-Cacher. Le problème, c'est le risque sur la sécurité, on ne peut pas lui donner, à ce stade, de garantie sur l'organisation. Je lui propose de venir juste le soir à la synagogue, à la cérémonie pour les victimes. Mais Netanyahou insiste pour le défilé, puisque Lieberman, son concurrent, y va. Le samedi soir, j'ai Netanyahou au téléphone vers 22 heures. "Je viens, me dit-il, c'est trop important pour moi." Dans la foulée, j'appelle Mahmoud Abbas pour l'invi-

ter. Il a été courageux, il aurait pu dire : "Vous ne m'avez pas invité quand nous nous sommes parlé au téléphone hier", mais il décide de venir aussi.

Le vendredi 9 janvier, je déjeune avec mes collaborateurs dans le salon vert à côté de mon bureau. À 13 heures, on m'informe que Coulibaly a pris des otages à l'Hyper-Cacher. Cazeneuve part tout de suite sur place. À 15 h 30, Valls et Cazeneuve me rejoignent avec Christiane Taubira. Nous resterons ensemble jusqu'au dénouement. Cazeneuve confirme très vite qu'il y a des victimes à l'Hyper-Cacher et qu'il y a encore une quinzaine d'otages avec lui. Vers 16 h 30, les policiers entrent en contact avec Coulibaly via son avocate, qui est sur les lieux. Deux stratégies s'offrent à nous : une négociation longue pour le fatiguer et espérer sa sortie, ou l'assaut pour éviter qu'il tue des otages au fur et à mesure des négociations. Difficulté supplémentaire, il s'informe, il sait ce qu'il se passe. Mais à aucun moment il ne dit : "Laissez partir les frères Kouachi ou je tue des otages." On ne sait pas s'ils sont coordonnés. Autour de la table avec moi, il y a donc Valls, Cazeneuve, Taubira, et Thierry Lataste [le directeur de cabinet de François Hollande, ancien de la place Beauvau, arrivé à l'Élysée quarante-huit heures seulement avant l'attentat contre *Charlie Hebdo*]. *"Qu'est-ce que vous décidez : on continue la négociation ? on se fixe une heure pour intervenir ?", me demande Cazeneuve. Je regarde l'horloge. Il est 16 h 45. Ma réponse est claire : "On intervient au plus tard à 17 h 15." Si on poursuit la négo, on part pour longtemps. Les journaux de 20 heures pouvaient être un moyen pour les terroristes de tenir la France en haleine avec une mise en scène macabre. L'heure d'intervention est donc fixée au plus tard à 17 h 15, avec deux assauts simultanés. Mais*

111

à 17 heures, les frères Kouachi sortent. Je donne l'ordre de lancer l'assaut porte de Vincennes. Pendant que les caméras sont sur Dammartin, on lance l'assaut à l'Hyper-Cacher. Le temps paraît très long entre le moment où l'assaut démarre et le dénouement. Le rideau de fer met du temps à remonter. Mais Coulibaly ne bute pas les otages. Il voulait tuer des policiers.

Après l'assaut, j'appelle tous ceux qui y ont participé. Le soulagement domine mais il y a quand même des morts à l'Hyper-Cacher. Il n'y a pas de pertes parmi les policiers, c'est une satisfaction supplémentaire... Oui, j'éprouve une forme de soulagement.

Vendredi, c'est la clé. L'appréciation sur moi n'aurait pas été la même s'il y avait eu un carnage à l'Hyper-Cacher. Il fallait intervenir avant 20 heures. Il faut marquer la fin de quelque chose.

J'ai pris des décisions lourdes pendant ces trois jours, mais finalement moins lourdes que sur le Mali ou la Centrafrique. Des soldats sont morts là-bas et c'est moi qui les ai envoyés. La mort d'Hervé Gourdel [otage français décapité le 23 septembre 2014 par un groupe djihadiste algérien en « représailles aux actions militaires françaises contre l'État islamique »], *ça aussi c'est ma responsabilité.*

Là, j'ai montré que le pays était dirigé. Dirigé par moi. Le pays est tenu. Il y a eu un moment où tout aurait pu basculer dans la rancœur, la haine. Ça n'a pas été le cas. La France s'est découverte elle-même, elle a montré qu'elle avait confiance en elle, notamment à travers la reconnaissance internationale de ce que le pays représente et de ce que son président représente. Je suis regardé comme le président d'une belle France.

Nicolas Sarkozy pense que l'élection présidentielle se fera sur ces thèmes. Or c'est la semaine, celle des attentats, où je suis devenu président dans le regard de beaucoup de gens. J'ai été élu, mais dans le regard de beaucoup de Français, je ne l'étais pas devenu. Qu'il s'agisse de mes adversaires ou des gens de gauche qui ont été déçus. Là on se dit "il l'a fait".

Mitterrand a eu le Liban, le discours à la Knesset. Il y a aussi la main dans la main avec Helmut Kohl. Chirac, c'est l'hommage à Mitterrand le soir de sa mort et le fait de ne pas intervenir en Irak. Nicolas Sarkozy, c'est avec la crise qu'il est devenu président. Il a tenu. C'est une séquence pendant laquelle j'ai eu les bons gestes. Si j'avais montré une hésitation, une interrogation c'était différent.

J'ai appris, dans ce moment, sur le fonctionnement du gouvernement. La fluidité, la rapidité de la chaîne d'informations. Faire travailler les services les plus concurrentiels ensemble.

On ne peut pas parler que d'économie à notre pays. Les Français ne vont pas dans la rue sur la crise ou le chômage. 2017 se jouera sur les valeurs aussi. On n'élit pas un président sur "il a fait un peu plus ou un peu moins de chômage". On l'élit parce qu'il a su parler à la Nation, parce qu'elle s'est réveillée. »

20

L'ami Tsipras

Dix-sept heures de négociations. Six mois plus tard, c'est une nuit de palabres interminables à Bruxelles qui permettra de sauver la Grèce d'Alexis Tsipras. 80 milliards d'euros d'aide financière contre un plan de réformes résumé par le magazine allemand *Der Spiegel* sous le titre « *Catalogue des horreurs* ». Car ce 13 juillet 2015 à 9 heures du matin, le premier ministre grec renie tout ce sur quoi il a été élu. Le refus de plier face aux exigences européennes, le rejet de la tutelle de la Commission européenne, de la Banque centrale européenne et du FMI, tous ces engagements, le leader d'extrême gauche les a vite oubliés pour rester dans l'Union européenne. Huit jours plus tôt, Tsipras se félicitait du rejet des Grecs, par référendum, d'un plan d'aides aux contreparties humiliantes ! Comme si la légitimité donnée par son peuple était en mesure de faire plier l'intransigeance de l'Union et surtout de l'Allemagne. La leçon de réalisme est cruelle, le retour sur terre brutal. « *Le pire a été évité* », se félicite le président français au terme des négociations. Depuis de longues semaines,

François Hollande coache littéralement Tsipras pour éviter une sortie de la Grèce de la zone euro. Scène surréaliste et contre tous les usages de la diplomatie, l'Élysée a pour ainsi dire rédigé les propositions grecques qui serviront de base aux discussions de sortie de crise. Sur instruction du président, la représentation française à Bruxelles s'est mise à la disposition de Tsipras pour préparer le Conseil européen de la dernière chance. Philippe Léglise-Costa, le conseiller Europe de l'Élysée, et Bruno Bézard, le directeur français du Trésor, ont tous deux rejoint, le temps d'un sommet, le service de la présidence grecque pour rédiger le plan de réformes qui permettra à Athènes d'obtenir l'aval de ses pairs. Pas un jour ne se passe sans que « François » et « Alexis » s'appellent. Le dénouement de cette longue crise qui a secoué l'Europe, l'Élysée le revendique comme le succès de sa diplomatie européenne.

« *Le président aura un peu de retard, il est encore dans l'avion. Voulez-vous boire quelque chose pour patienter ?* » La voix de l'huissier résonne dans le palais désert, un samedi soir, au cœur de l'été. Les pas de l'huissier s'éloignent. Le lourd mécanisme de la pendule du salon d'attente prend le dessus sur le silence. François Hollande avait fixé l'heure du rendez-vous à 19 h 30 ce 18 juillet avant de le repousser à 20 heures. Le temps pour lui de rentrer de Lozère où il a assisté à la quatorzième étape du tour de France. Cent soixante-dix-huit kilomètres entre Rodez et Mende. À l'arrivée, deux coureurs français se font voler la victoire comme des bleus, dans un sprint à trois, par un Britannique. François Hollande admoneste gentiment ses compatriotes sur la ligne d'arrivée : « *Il faut que la France s'en-tende pour gagner !* » Leçon un brin paternaliste d'un président qui se sent encore porté par le succès qu'il s'attribue dans la résolution de la crise grecque.

20 h 15, retour de l'huissier : « Le président est posé. »

Un quart d'heure plus tard, les grilles du palais s'ouvrent pour laisser entrer le cortège présidentiel. Comme il le fait souvent lorsqu'il nous reçoit, François Hollande arrive d'un pas pressé, en l'occurrence en montant quatre à quatre les marches du grand escalier qui mène à son bureau. « *Pardon de mon retard. J'étais sur le tour de France… On n'a pas été capables de gagner l'étape ! Alors qu'ils étaient deux Français devant !… Lamentable… »*

L'huissier se mêle à la conversation tout en ouvrant les portes du bureau présidentiel : « *C'est vrai, ils ne voulaient pas la gagner !* »

21

« *Aide-moi à t'aider* »

« *La crise grecque est sans doute l'événement le plus grave que j'ai affronté sur la scène européenne. Ce n'était pas la négociation la plus tendue que j'ai eu à mener, mais sans doute celle dont l'issue était la plus importante. Il s'agissait de l'avenir de l'Europe et de la zone euro. On sentait que ça pouvait se terminer de manière brutale. Soit parce que les Grecs ne réagiraient pas comme il convenait, soit parce que les Allemands réagiraient comme on le redoutait. Et nous ne sommes pas passés loin du désastre ! Je savais que Merkel était dans une situation difficile avec son opinion publique et dans un rapport compliqué avec son ministre des Finances, Schäuble. Si les Grecs faisaient une erreur, s'ils n'adressaient pas des signes de confiance, même si je les appuyais autant qu'il était possible, on n'y serait pas arrivés. Et en même temps, Tsipras n'était pas dans une situation politique facile avec une majorité très dure et alors même qu'il avait gagné le référendum.*

Le samedi, veille du sommet européen fatidique pour l'issue de la crise, il se trouve que je dîne chez Line Renaud avec Jean-Yves Le Drian, Emmanuel Macron — c'est d'ailleurs Macron qui a pris l'initiative : il est ami avec Line

Renaud. C'est drôle non ? – Dominique Besnehard est là aussi. Je suis dérangé plusieurs fois au téléphone pendant le dîner, très sympathique au demeurant, parce que Michel Sapin me fait en direct un compte rendu de l'Eurogroupe [la réunion des ministres des Finances de la zone euro] *qui se tient au même moment à Bruxelles. Ce qu'il perçoit est de plus en plus négatif pour la Grèce. Au départ, c'est Schäuble qui bloque, puis, ensuite, le ministre finlandais, puis, après, le ministre des Finances belge... Vers 2 heures du matin, il m'appelle une dernière fois, il est très pessimiste.*

Certains ministres européens sont à la limite d'insulter les Grecs. C'est très dur. Michel me raconte que les Grecs réagissent bien, ne s'emportent pas, maîtrisent leurs propos, ne répondent pas à la provocation. Devant la situation, le lendemain matin, j'ai des contacts avec les sociaux-démocrates allemands qui avaient été virulents avec les Grecs au moment du référendum mais qui commencent à revenir à des positions plus équilibrées. Et ils ont aidé dans le processus. À 10 heures, le dimanche, des responsables du SPD et quelques ministres ont rendez-vous avec la chancelière. Ils lui font passer le message que nous avons décidé au préalable : "On est solidaires de la chancelière mais on veut qu'il n'y ait pas de rupture avec la France et donc on doit partir du principe que la Grèce doit rester dans la zone euro." Ça pèse politiquement. À 11 h 15, j'ai rendez-vous au téléphone avec Merkel. On convient de donner mandat à nos ministres pour que ça se passe mieux à l'Eurogroupe qui allait reprendre et de nous voir avant le début du Conseil européen avec Tsipras. Lorsque j'arrive au Conseil à Bruxelles, à 16 heures, l'atmosphère est meilleure. Michel Sapin me fait passer des messages plus rassurants. Les Allemands sont moins virulents.

Vers 6 heures du matin, les discussions sont complètement bloquées. C'est là que j'ai pensé que ça pouvait mal se terminer. Parce que Tsipras était à bout et disait qu'il ne pouvait pas aller plus loin, notamment sur le fonds de privatisation dont les conditions n'étaient pour lui pas acceptables. Et Merkel était également prête à dire : "Finalement puisque les Grecs ne veulent pas d'accord, il n'y aura pas d'accord. Ce n'est pas de notre faute, ce sont les Grecs qui ne veulent pas." C'est vraiment une partie de la stratégie allemande que j'avais décrite à Tsipras, selon laquelle ils utiliseraient toute faiblesse ou toute insuffisance !

Ça va se dénouer grâce à une réunion que nous faisons avec le président du Conseil européen, Donald Tusk, Merkel, Tsipras et moi. Ce n'est pas tendu sur le plan humain ou personnel.

D'ailleurs, ça n'est pas une nuit qui se déroule dans un climat brutal. C'est difficile, mais ça ne dégénère jamais sur un plan personnel. Pas d'éclats de voix.

On passe une heure et demie à chercher des formulations qui conviennent à tous sur ce fameux fonds de privatisation. Merkel veut sa prise de guerre sur cette garantie, même si elle se rend compte qu'il y a un risque. Je l'alerte sur ce risque de rupture. Bien sûr, elle est prête à le prendre. Le contexte évolue néanmoins. Le temps, la nuit aidant, les pays les plus intransigeants le deviennent moins. À mesure que le temps s'écoule, l'idée d'un échec devient humiliante aussi. Et l'humiliation pouvait être aussi celle de Tsipras. Lui nous dit qu'il n'a plus les capacités de convaincre son parti ou les autres partis démocratiques grecs. Il repart négocier avec ses équipes et revient avec une formulation sur ce fameux fonds qui permet enfin l'accord. C'est lui qui débloque les choses. Avec notre soutien, mais il l'a fait.

Lors de l'interview du 14 juillet qui suit, je revendique un succès pour la France. L'accord a été trouvé sur l'objectif que la France avait fixé. Mais qui aurait pu ne pas être atteint si les Grecs s'étaient figés sur des positions. Ou si d'autres pays que la France et l'Allemagne s'étaient cabrés. Or ça n'a pas été le cas. Donc je revendique l'accord. D'autant plus qu'il y a des maladresses dans les expressions de l'opposition, qui tergiverse. Tantôt pour le maintien de la Grèce, tantôt contre. Certains, comme Sarkozy, interviennent même ce dimanche-là, jour du sommet décisif. Il déclare : "Il faut que François Hollande se ressaisisse." Laisser penser que je doive "me ressaisir" parce que je mets en danger le couple franco-allemand ! Mais [il] est justement bien installé à ce moment-là ! Il l'est depuis le référendum grec. J'avais reçu Madame Merkel à Paris, je l'avais retrouvé pour un Conseil de la zone euro le mardi. Je n'ai pas compris l'attaque. En plus Madame Merkel n'était même plus là quand Sarkozy s'est exprimé devant le Parti populaire européen.

Si on en revient à la communication, pour qu'il y ait un récit de mon action, il faut qu'il y ait une chronique. Or l'affaire grecque se déroule comme un feuilleton depuis l'annonce d'un référendum, puis le résultat du référendum et puis l'inconnu sur le dénouement de la négociation. Il m'est apparu nécessaire d'introduire un peu de récit, de scénario, à partir du moment où ma communication ne pouvait pas être publique et quotidienne. Je ne peux pas intervenir le dimanche soir à la suite du référendum grec. Nous convenons avec Madame Merkel de faire un communiqué commun prenant acte du vote et demandant aux Grecs d'en tirer les conséquences. Mais il est important, à partir de ce moment-là, que je puisse, par une communication indirecte, raconter ce que j'ai dit à Tsipras.

On se téléphone le dimanche soir. Je ne parle pas à un homme qui est enflammé par sa victoire et vindicatif quant aux leçons à en tirer pour les négociations. Je lui dis : "Tu as gagné un référendum, tu es donc plus fort politiquement à l'intérieur de la Grèce, mais tu es plus faible à l'extérieur de ton pays. Et ce qui est en cause aujourd'hui, c'est l'appartenance de la Grèce à la zone euro. Soit tu réaffirmes que tu veux que la Grèce soit dans la zone euro, et je t'aiderai. Soit tu es ambivalent et tu ne fais pas les annonces attendues, et la Grèce sera écartée de la zone euro. Il y a quatorze pays qui ne veulent plus vous voir dans l'euro ! Ton destin est entre tes mains. Aide-moi à t'aider : si tu fais les bonnes déclarations, tu m'aideras à justifier ton retour dans la négociation." Et je dois dire qu'il a suivi mes recommandations. Dès le lundi, il montre des signes d'ouverture. Le mardi, lors du Conseil de la zone euro, ça se passe mal pour lui, les pays du nord n'ont plus confiance. Mais il fait une déclaration sur sa volonté de rouvrir des négociations et sur de nouveaux engagements. Il est important ce Conseil que nous avons voulu avec Angela Merkel, parce que au lendemain du référendum grec rejetant le plan de réformes exigé par l'Europe, la Grèce sortait. À l'issue du Conseil, je vais voir Tsipras et je lui dis : "Je vais mettre toutes mes équipes ici à Bruxelles au service de la présentation du dossier grec pour la négociation d'un nouveau programme d'aide. Est-ce que tu le souhaites ou est-ce que tu ne le souhaites pas ?" Je l'amène dans mon bureau à Bruxelles. Je lui présente le directeur du Trésor, Bruno Bézard, mon conseiller affaires européennes, Philippe Léglise-Costa, et je lui dis que leurs équipes sont prêtes à travailler avec lui.

Il accepte. Le mercredi et le jeudi, nous travaillons avec les Grecs dans les locaux de la représentation française à Bruxelles. Les Grecs adressent ensuite jeudi soir leur plan de réformes aux Européens.

C'est un moment important du quinquennat. Mais tout chef d'État sait que son image internationale n'est pas – au moins dans un premier temps – perçue par son opinion publique. Mon image internationale depuis l'intervention au Mali est forte. Mais, pour les Français, cette dimension n'apparaît pas. Il faut que ce soit répété pour qu'ils finissent par avoir conscience de cette stature internationale. Qu'on leur répète que le président de la République est respecté à l'international et que c'est un sujet de fierté pour le pays.

Ce que je retiens de ce quinquennat sur le plan international, ce sont quatre événements marquants : l'acte d'intervention au Mali, le 11 janvier 2013 ; le discours que je fais devant les ambassadeurs pour l'intervention militaire en Syrie après l'utilisation par le régime d'armes chimiques, en août 2013 – même s'il n'y a pas eu, finalement, d'intervention. Il y a la nuit du 12 février 2015 à Minsk où nous avons négocié avec Angela Merkel et les présidents russe et ukrainien un accord pour le cessez-le-feu dans l'est de l'Ukraine. Il y a enfin cette nuit à Bruxelles qui a décidé du sort de la Grèce. »

22

Paris sous les bombes

Ce vendredi 13 novembre 2015, Thomas Hollande est parmi la foule des supporters venus soutenir les Bleus en match amical face à l'Allemagne. Son père a pris place dans la tribune officielle avec le ministre allemand des Affaires étrangères, mais le jeune avocat a voulu vivre le spectacle avec ses amis dans une travée plus discrète. Julien, le plus jeune des deux fils du président, a rejoint son travail. Il est serveur dans un bar près de la Bastille. Un établissement à la clientèle jeune, bobo, qui aime se retrouver sur les terrasses le vendredi soir. Flora, la plus jeune des quatre enfants du président, fait du baby-sitting près de chez elle, rue Trousseau, à quelques dizaines de mètres du restaurant La Belle Équipe. Clémence aime, elle aussi, sortir dans l'Est parisien mais ce soir-là, elle est chez elle, dans le 15e arrondissement de Paris. À 21 h 18, une première explosion retentit aux abords du Stade de France, suivie d'une seconde deux minutes plus tard. Comme la plupart des supporters, Thomas n'imagine pas que deux kamikazes viennent de se faire exploser à proximité du stade. À 21 h 35, Flora entend l'écho

123

de détonations sourdes, en rafales, depuis l'appartement où elle se trouve. La terrasse de La Belle Équipe est sous le feu des terroristes.

Au même moment, Thomas Hollande reçoit un texto : « *Où es-tu dans le stade ?* » C'est un membre du Groupe de sécurité de la présidence de la République (GSPR), les hommes chargés de la protection du président, qui cherche à le localiser. Il donne sa position. « *Ne bouge pas, on vient te chercher.* » Avant la mi-temps, il retrouve son père dans la tribune officielle. Le président explique à son fils que des attaques terroristes sont en cours. Après la reprise du match, François Hollande s'éclipse discrètement pour rejoindre l'Élysée, puis le centre des opérations au ministère de l'Intérieur. L'aîné de la fratrie est resté au stade. « *Ici tu es en sécurité* », lui a dit son père juste avant de partir. Le père de famille va aussi appeler son autre fils pour lui demander de ne surtout pas sortir du bar dans lequel il travaille.

L'ampleur des attaques terroristes en cours dans la capitale prend un tour incontrôlable avec Le Bataclan et le « commando des terrasses » qui sillonne la ville avec des armes de guerre. À la soixante-dixième minute de jeu, le préfet de Seine-Saint-Denis l'informe qu'il va être exfiltré par les hommes du GSPR. Dans l'ascenseur qui descend de la tribune officielle, le fils du président, habitué à la présence des policiers chargés de sa protection rapprochée, perçoit la tension et l'état de concentration de ceux qui l'encadrent. Quelques minutes plus tard, quand la voiture quitte les sous-sols du stade, ces hommes, pourtant expérimentés et formés à la pire menace, laissent exceptionnellement filtrer leur émotion. Personne n'a la moindre idée de ce qui peut encore se passer.

Quarante-huit heures plus tard, le dimanche 15 novembre, un soleil de printemps réchauffe la terrasse du palais de l'Élysée côté jardin. Il fait près de vingt degrés. La table du déjeuner est dressée dehors. Six convives s'y retrouvent. Thomas, Clémence, Julien, Flora, leur père, et leur mère, Ségolène Royal. Ce genre de retrouvailles est rarissime. Tous en ont éprouvé le besoin après les attentats qui viennent de frapper le pays et qui auraient très bien pu les atteindre personnellement. Thomas est un habitué du Petit Cambodge. Les terroristes auraient très bien pu faire un stop devant le café où Julien travaillait ce soir-là. Flora aurait pu traverser la rue de Charonne au moment du carnage. Chacun revient sur la façon dont il a vécu cette terrible soirée, mais déjà la discussion s'emballe sur la riposte politique. Juste avant le déjeuner, Nicolas Sarkozy a été reçu par le président. Hollande raconte l'entretien à sa famille. *« C'était pénible. Il a commencé par taper sur Taubira en m'expliquant que je devais la virer, que face à une situation aussi grave on ne pouvait la maintenir à la Justice. J'ai eu droit au chapitre sur l'emprisonnement des "fichés S"... C'était vraiment pénible ! »* Le président se lâche devant ses proches. Les enfants acquiescent, choqués eux aussi par la proposition de l'ex-président. Autour de la table, une seule voix dissonante : Ségolène Royal. Pas franchement pour, pas vraiment contre non plus. Le pater familias balaie la question d'un revers de main et tranche : *« Non, ça c'est vraiment impossible ! »* Mais le président, qui cherche à tout prix à envoyer un signal à l'opposition, lance alors le débat sur l'autre demande forte de la droite et de l'extrême droite : la déchéance de nationalité.

La question, qui empoisonnera le débat public pendant plusieurs mois, est alors débattue par ce cercle familial hors norme. Les enfants n'y sont pas favorables, à commencer par Thomas, le plus politique de la fratrie. Une fois de plus, Ségolène Royal est la plus dure. Sans hésitation, elle se prononce pour. François Hollande écoute mais ne tranche pas. Le déjeuner prend fin plus vite qu'ils ne l'auraient souhaité. Le président doit recevoir les autres chefs de partis et de groupes politiques et poursuivre les consultations avant de dévoiler ses choix devant le Congrès. Mais ce jour-là, la famille s'est fait entendre, sans que l'on sache, à ce moment précis, quel sera l'arbitrage du patriarche.

23

« *Je pense à mes propres enfants,*
à ma famille.
Je les appelle tous au téléphone »

« *L'idée d'aller au match de football s'est confirmée dans les quarante-huit heures avant la rencontre. Steinmeier* [le ministre allemand des Affaires étrangères], *qui était présent à Paris, souhaitait y aller. Et comme aucune actualité particulière ne m'empêchait de l'accompagner, j'y vais. J'arrive quelques minutes avant le coup d'envoi, dans une ambiance agréable. Apaisée. Le match commence. Dès les premières minutes, on entend cette détonation qui ressemble à un gros pétard. Je l'entends très bien. Sur l'instant, ça m'a saisi. Puis une deuxième explosion survient. Elle ne suscite aucun mouvement de foule, aucune réaction. On met ça sur le compte de supporters à l'extérieur du stade qui ont dû faire péter leurs engins. Quinze minutes plus tard, la chef du service de protection de l'Élysée, Sophie Hatt, me prévient qu'il y a un blessé, peut-être même un mort. Je demande si c'est accidentel ou si c'est d'une autre nature. On ne peut alors me donner aucune confirmation. Je reste donc à ma place. Dix minutes se passent. Juste après le premier but, on revient me voir pour m'informer que c'est un engin qui a explosé et que ce n'est pas du tout un accident. Il y a un mort – le poseur d'engin ? On ne le sait pas encore. Je quitte la tribune et je monte au PC de sécurité. Tous ceux qui sont chargés de la sécurité du stade sont présents et m'informent de la situation. Il y a eu deux explosions. Peut-être même une troisième. Il n'y a plus aucun doute sur le caractère terroriste de ces événements.*

J'appelle Cazeneuve. Il n'est pas encore informé de ce qui se passe au Stade de France, mais il a des informations sur une fusillade qui vient d'éclater en plein Paris. Valls est chez lui. Je lui téléphone. Il n'est pas au courant pour le stade, mais il a entendu du bruit dans son propre quartier ! Cazeneuve me rejoint au PC de sécurité du stade où les informations commencent à arriver. On sait qu'il n'y a pas eu plus de deux ou trois victimes autour du stade mais, en revanche, que cela a l'air beaucoup plus sérieux dans le cœur de Paris. Je décide de rentrer à Paris. L'important est de ne pas créer un mouvement de panique ! Donc je reviens en tribune à la mi-temps. Je préviens Steinmeier qu'il y a eu un attentat mais qu'il doit rester au match. J'informe les officiels : Claude Bartolone, Noël Le Graët. Je leur demande de rester assis et de ne pas quitter l'enceinte. Dans le même temps, on met en place un système de brouillage pour empêcher les téléphones portables de recevoir des informations de l'extérieur. Les explosions autour du stade ne seront connues des spectateurs qu'à l'issue de la rencontre.

Je quitte donc le stade juste après la reprise du match. Manuel Valls me rejoint au ministère de l'Intérieur où de nouvelles informations, les plus terribles, nous arrivent sur les cafés et restaurants et surtout sur la prise d'assaut, par des terroristes, de la salle du Bataclan. On ordonne l'assaut sans attendre, mais cela prendra beaucoup de temps avant de donner des résultats. La décision de l'assaut est prise très vite, mais cela mettra deux heures avant qu'on parvienne à neutraliser les terroristes. Le bilan augmente de minute en minute. Trente morts, puis quarante... Le Bataclan, ensuite, nous fait comprendre que le nombre de victimes sera considérable.

La priorité, c'est de savoir s'il y a d'autres terroristes, d'autres groupes susceptibles de frapper dans d'autres quartiers, d'anéantir ceux qui sont au Bataclan.

Vers 23 heures, 23 h 15, avec le premier ministre, nous préparons la décision de l'état d'urgence. Le Conseil des ministres est convoqué à minuit. Après le Conseil, je fais une intervention télévisée puis je me rends au Bataclan. Tout est sécurisé à ce moment-là. Il y a eu quelques commentaires ridicules sur une prise de risque, mais il ne s'agissait pas d'aller au Bataclan, mais au PC sécurité-secours déployé à proximité. Si un terroriste se baladait encore à ce moment-là il n'aurait eu aucune possibilité de frapper, il aurait été aussitôt neutralisé. Je vois les regards hagards des policiers qui ont vu des scènes de guerre, les visages des infirmiers et des médecins qui sont confrontés à l'horreur. Je comprends qu'on est en guerre. Confrontés à des actes de guerre en plein Paris ! Il y a beaucoup d'émotion compte tenu du nombre de victimes, que l'on ignore encore, des jeunes pour la plupart. Je pense à mes propres enfants, à ma famille. Je les appelle tous au téléphone. J'étais un Français comme les autres qui s'inquiète pour ses enfants.

Je regagne l'Élysée autour de 3 heures du matin. Je ne dors pas cette nuit-là. On ne sait pas si d'autres terroristes sont dans la nature, s'ils vont recommencer. J'imagine ce que sera le jour d'après, le lendemain : les consultations avec les responsables politiques, prévoir une nouvelle intervention télévisée, convoquer un conseil de défense...

Je pense dès cette première nuit aux mesures radicales qu'il *va falloir prendre. On n'est pas dans le même scénario qu'en janvier : deux frères, puis l'Hyper-Cacher, on a bien vu que c'était circonscrit. Là, on est dans une attaque directe, générale, mais qui ne cible pas une catégorie – les journalistes – ou un lieu particulier. Cette fois, on ne sait pas combien ils sont dans le commando, d'où ils viennent. Ça prendra du temps de les identifier... Impossible de dormir. Je me dis que les Français vont être extrêmement inquiets de cette seconde vague d'attentats. Je reçois beaucoup de messages d'amis, de proches qui me disent : "Il faut être dur, il faut répliquer !". Cela signifie mettre en place des outils nouveaux pour être sûr qu'on va être protégé dans un contexte d'attaques contre nos enfants. Donc, l'état d'urgence est une réponse, mais elle n'est pas adaptée. Je parle donc de fermeture des frontières, mais je sais qu'il faut passer à un autre registre de mesures.*

J'essaie de savoir ce qui est le plus efficace et de prendre les mesures qui nous permettent de faire face à de nouveaux attentats. C'est la seule chose qui compte à ce moment-là, et pas de réfléchir à ce qu'on peut faire dans les écoles ou sur le plan civique. On est devant des actes de guerre perpétrés par Daech !

Je ne cherche pas à prendre une initiative politique. Nicolas Sarkozy, lorsqu'il sort de l'Élysée, est déjà dans une sorte de surenchère. Il veut reprendre l'initiative. Mais il commet une première erreur sur la COP 21. Il laisse entendre qu'il vaudrait mieux la reporter, avant de se reprendre. La COP 21 c'était la meilleure réponse aux terroristes, une démonstration de solidarité internationale, une forme de résistance. Deuxième erreur : il n'est pas tout de suite – comme il l'avait été le 7 janvier – dans l'unité nationale. Il est tout de suite dans une espèce de riposte, de surenchère. Il sous-entend que ce qui s'est produit est de ma faute, que nous n'avons pas pris les mesures suffisantes au lendemain des attentats de janvier. Même Marine Le Pen ne le dit pas ! Elle reste dans la retenue. La surenchère de Nicolas Sarkozy, le dimanche, est annihilée par le Congrès de Versailles, le lundi. Mais il essaye à nouveau de briser l'unité nationale, le mardi, lors de la séance de questions au gouvernement. [Valérie Pécresse, Laurent Wauquiez, successivement, questionnent le gouvernement sur les insuffisances et failles éventuelles dans l'anticipation des attentats.] *La droite en réalité ne sait pas comment se situer. Elle n'est pas en initiative. Et de fait, nous avions fait passer des lois sur le renseignement et déjoué des attentats après la vague d'attaques de janvier.* »

24

Menaces

Mercredi 27 novembre dans la cour de l'hôtel des Invalides : la France rend hommage aux victimes des attentats du 13 novembre. Le président est assis juste devant la tribune des invités. Représentants de la nation, élus, familles, personnels médicaux, forces de secours, une assemblée grave assiste, le visage marqué, à la cérémonie. Les victimes sont citées une à une. Difficile de ne pas se laisser submerger par l'émotion. Cérémonie sobre, moment de communion de la nation : la vie en France semble être suspendue. De retour à l'Élysée, le président croise son vieil ami et conseiller Bernard Poignant. L'ancien maire de Quimper raconte : *« Je l'ai vu pas du tout ébranlé par la matinée aux Invalides. Il était normal ! Nous sommes partis à Malte pour assister au sommet du Commonwealth. Devant les journalistes, le soir même, il faisait des blagues. "Vous êtes venus ?" »* Un président indifférent ? *« Il s'est endurci dans la fonction, indifférent à beaucoup de choses. Avant, il avait du sang-froid. Il est devenu à sang froid. Le soir des attentats, il était sous le choc, mais en même temps, je l'ai vu comme un chirurgien qui passe sa journée au bloc opératoire et qui doit tenir*[1]. »

Des attentats en pleine campagne des élections régionales. En pleine poussée du FN. La menace Le Pen en Nord-Pas-de-Calais et dans le Sud-Est préoccupe en haut lieu. Comme à chaque élection depuis le début du quinquennat, Manuel Valls ne parle que de ça. *« Le gain d'une région serait une catastrophe pour l'image du pays. »* Face au péril, le premier ministre envisage toutes les solutions. Le retrait de la gauche, même si le total de ses voix éclatées au premier tour la plaçait en meilleure position que la droite. Faut-il aller jusqu'à la fusion des listes avec Les Républicains ? *« Il faudra poser la question »*...

Le président, s'il est lui aussi préoccupé par la poussée extrémiste, fait partie de ceux qui ne croient pas à la capacité du FN à l'emporter dans un scrutin majoritaire à deux tours. Lors des élections départementales, alors que beaucoup annonçaient la victoire de l'extrême droite dans une poignée de territoires, l'expert en arithmétique électorale avait prédit : *« 0 département au FN. »* Il fait le même pronostic pour les régionales. Il voit juste. Ni Nord-Pas-de-Calais-Picardie ni Paca ne tombent. Malgré la défaite, le PS se console comme il peut et cherche des raisons d'espérer : le réflexe du front républicain forme toujours une barrière étanche face au péril d'extrême droite. Le premier ministre se félicite carrément du score de son parti : *« Le PS fait un score correct au premier tour : 23 %. C'est la preuve qu'il n'y a pas d'alternative à gauche.*

---

1. Entretien avec les auteurs, le 21 décembre 2015.

Un formidable sursaut, ajoute-t-il, *auquel j'ai largement contribué.* » On croirait presque à une victoire de la gauche ! Pourtant, jamais le FN n'a rassemblé autant de voix. Six millions huit cent mille électeurs, c'est plus que le score de Marine Le Pen à la présidentielle. Arrivé en tête au premier tour dans six régions sur treize, le FN est devant, au second, dans huit départements. Il confirme son enracinement sur le territoire jusque dans des régions où il était inexistant comme la Bretagne ou certains bastions de la gauche dans le Sud-Ouest. Cette poussée historique sonne comme un avertissement : Marine Le Pen, d'ores et déjà virtuellement qualifiée pour le second tour de 2017, il ne reste qu'une place à prendre. Et François Hollande croit encore que c'est lui qui gagnera le deuxième ticket.

Comme si le FN était au fond autant un danger politique qu'une chance électorale.

25

« *Il y a un vote Front élevé...*
Mais il y a aussi un vote
"anti-Front" élevé »

« *Quand un coup aussi fort est porté, il y a un besoin de se retrouver derrière celui qui a la responsabilité du pays, qui est au sommet de l'État. Et c'est moi. Une seule question se pose pour les Français : "Est-ce qu'il assume ? Est-ce qu'il prend les bonnes décisions ? Est-ce qu'il tient et nous protège ?" Il y a une espèce de projection vers le président de la République. Il se trouve qu'aujourd'hui même, nous avons déjoué un attentat à Orléans. Le ministre de l'Intérieur va le rendre public dans les prochaines heures. Et nous avons de nombreux éléments selon lesquels ce type d'attaques peut se reproduire. Le risque, c'est qu'il y ait l'attentat de trop. Que le pays se dise alors : "Vous prenez des décisions, l'état d'urgence, le contrôle des frontières, des lois sur le renseignement, la loi pénale... Vous déployez des moyens supplémentaires. Et tout cela ne nous protège pas !" Aujourd'hui, ça me porte, mais cela peut très bien se retourner contre moi. Mais au-delà de la capacité à protéger, la question centrale reste le chômage. Si ça ne s'améliore pas sur le front de l'emploi, les gens se diront : "Il s'est montré capable de faire face à des circonstances dramatiques. Il a été un président qui tient. Mais sa promesse, il ne l'a pas honorée." Cela restera un*

135

handicap extrême. Si je protège sans résoudre cette question du chômage, ça ne suffira pas à convaincre. L'économie peut ne pas à elle seule faire gagner une élection mais elle peut la faire perdre.

Le premier enseignement des régionales, c'est que le vote Front national a été amplifié par les attentats. Le second, c'est qu'il y a un effet positif sur le PS au premier tour, un réflexe utile. La gauche de la gauche fait de faibles scores, les écolos pas grand-chose. Au second tour, les appels à voter contre le Front étaient d'autant plus légitimes qu'on avait tenu bon dans cette période. Le choix du retrait des candidats socialistes au second tour dans le Nord, en Paca et en Alsace avait d'ailleurs été pris très tôt, avant le premier tour. Les candidats socialistes concernés le savaient. Ils en convenaient.

Les résultats des régionales ne sont pas "rassurants". Si on les projette sur la présidentielle, le FN est premier, la droite deuxième, et nous, les socialistes, troisièmes. Mais ce qui reste plutôt réconfortant, c'est notre score relativement élevé : 23 %. Cela signifie que si les écologistes ne présentent pas de candidat, si on arrive à prendre un peu sur les centristes et un peu sur la gauche de la gauche avec le vote utile, la qualification pour le second tour est possible. Deuxième lecture : il y a un vote Front élevé... Mais il y a aussi un vote "anti-Front" élevé. Nos électeurs n'acceptent pas que le FN puisse être demain aux responsabilités. Il n'en demeure pas moins que l'enseignement lourd de ces régionales, c'est qu'un vote FN est en train de se structurer et pas forcément dans des endroits où on avait l'habitude de le voir. Paca, Nord-Pas-de-Calais, l'est de la France sont autant de régions où le vote extrême droite était déjà très haut lors des élections précédentes, il y progresse encore. Mais il se nationalise en ce sens qu'il est présent là où il était absent, que ce soit en Normandie ou dans la région Centre. Au second tour, avec un surcroît de participation, il se maintient : ça veut dire qu'il gagne encore des électeurs.

La question qui reste posée à la gauche ? Celle de la stratégie pour atteindre le second tour. Vis-à-vis des écologistes il ne faut pas avoir d'arguments d'autorité. Il faut leur demander d'avoir une relation avec nous permettant de se retrouver dans une majorité cohérente. Nous devons créer une situation – la COP 21 y a contribué – qui leur permette de renoncer à une candidature, ce n'est pas la même chose que de dissuader. Il faut avoir plus de respect. Ensuite, il ne suffit pas d'empêcher une candidature écologiste. Il faut faire en sorte que ces électeurs viennent voter pour nous. »

26

Déchéance

« Honnêtement sur le papier, on est mort de chez mort. »
Vincent Feltesse, conseiller politique du président
de la République, a rejoint petit à petit le cercle
fermé des proches collaborateurs de François Hollande. Il est généralement peu disert sur les coulisses
du pouvoir. Mais ce mercredi 30 mars 2016, attablé
avec quelques journalistes, il ne cache pas son abattement. Une heure plus tôt, dans une intervention
télévisée depuis le salon d'hiver du palais, le président actait l'échec de la réforme constitutionnelle
sur la déchéance de nationalité pour les terroristes
binationaux nés français. Le matin même, avant de
s'asseoir à la table du Conseil des ministres, François
Hollande réunit ses plus proches. Le secrétaire général de l'Élysée, Jean-Pierre Jouyet, son conseiller en
communication Gaspard Gantzer et Vincent Feltesse
ont été appelés en renfort pour l'aider à rédiger les
quelques mots qui acteront son échec quatre mois
et demi après son grand discours devant le Congrès
à Versailles. *« Il aurait pu se contenter d'un simple communiqué,* commente Gaspard Gantzer, *mais le président*

veut assumer. Il est comme ça. » Comme lors du fiasco de l'affaire Leonarda ou après les aveux de Jérôme Cahuzac. Ce recul sur la déchéance de nationalité, présentée comme « *la riposte politique* » aux terroristes, marque l'impuissance d'un président à l'impopularité record. Même en ces circonstances exceptionnelles, il ne parvient plus à s'assurer le soutien de sa majorité.

Sur le moment, quatre mois plus tôt, il a pourtant compris la gravité de la situation. Après s'être rendu aux abords de la salle de spectacle pour constater l'ampleur du massacre, le président convoque à l'Élysée un Conseil des ministres exceptionnel. L'état d'urgence est décrété. Sur le perron, à l'issue de la réunion, quelques ministres s'attardent. Stéphane Le Foll, Jean-Yves Le Drian et Bernard Cazeneuve s'inquiètent des conséquences de cette nouvelle vague d'attentats : « *Attention à ce que ça ne dégénère pas. Le FN est en pleine progression, il faut faire gaffe à ce que ça ne commence pas à bastonner dans tout le pays.* » C'est sous cette pression d'une explosion de la communauté nationale que le président de la République va faire corps avec cette déchéance de nationalité totalement étrangère à la culture de la gauche. Le dimanche soir 15 novembre 2015, après avoir consulté les chefs des partis politiques, à commencer par Nicolas Sarkozy, François Hollande tranche. Manuel Valls raconte : « *Le président indique qu'il y a une proposition qui revient qui est celle de la déchéance, donc il la met sur la table. C'est lui qui l'a choisi*[1]. »

Contrairement à ce qu'il affirme publiquement,

---

1. Entretien avec les auteurs, le 4 avril 2016.

Manuel Valls n'est pas favorable à la déchéance de nationalité pour les binationaux nés français. Moins d'un mois après le discours présidentiel de Versailles, le premier ministre s'en ouvre lors d'un déjeuner avec quelques journalistes. *« Le Conseil d'État ne recommande pas de le faire maintenant et par ailleurs la déchéance n'est pas une arme contre le terrorisme. Ouvrir des débats pour une mesure symbolique je ne suis pas sûr que ça en vaille la peine. »* La fracture de la déchéance n'est pas encore béante mais la gauche la redoute. *« On verra si on la retient, peut-être si un amendement est déposé au Sénat*[1]. *»* Le premier ministre donne le sentiment d'un arbitrage déjà rendu : la déchéance abandonnée par l'exécutif. Mais en réalité, le président n'a pas tranché. Il hésite. Il reçoit. Il consulte.

L'un de ses plus influents conseillers milite contre cette idée. Depuis la Thaïlande où il est en vacances, Thomas Hollande multiplie les échanges par SMS. Le fils du président comprend lui aussi que son père s'est mis dans une impasse. *« Il finit par me répondre qu'il a besoin du vote des trois cinquièmes du Parlement et que s'il abandonne la déchéance, la droite s'engouffrera pour faire échec à la réforme constitutionnelle. D'une certaine façon il m'explique qu'il n'a pas le choix. »* Ségolène Royal, elle, n'a aucune hésitation : *« Il ne faut pas y renoncer »,* plaide-t-elle auprès du président. Non seulement l'effet d'un rétropédalage serait désastreux, mais sur le fond, la ministre de l'Écologie juge que la mesure *« n'a rien de choquant »*...

La veille du Conseil des ministres qui rend public

---

1. Entretien avec l'un des auteurs, le 15 décembre 2015.

l'arbitrage présidentiel en faveur de la déchéance, le suspense reste entier. Certains ministres s'expriment dans les médias pour afficher leur hostilité à la mesure. Le premier secrétaire du PS, Jean-Christophe Cambadélis, milite publiquement contre. Nous rencontrons le président ce mardi 22 décembre :

« *Vous allez abandonner la déchéance, monsieur le président, tout semble l'indiquer...*

— *Qu'est-ce que vous en savez ?!* coupe François Hollande.

— *Ségolène Royal, elle, a indiqué qu'elle y était favorable...*

— *Il faut toujours écouter Ségolène Royal !* » lance le président dans un sourire en prenant congé.

Au cours de ce même entretien, un huissier nous interrompt un bref instant. Il remet un petit papier au président qui s'interrompt pour en prendre connaissance. « *C'est l'avis du Conseil d'État, sur la déchéance...* ».

La déchéance figurera bien le lendemain à l'article 2 du projet de loi constitutionnelle. Thomas Hollande comprend mais désapprouve. « *L'erreur, c'est d'avoir agi par calcul politique plus que par conviction. D'une certaine façon il renonce à ses idées. Il est convaincu de l'inutilité de la déchéance, mais il la met en œuvre sous la pression de la droite[1].* »

Les députés de gauche, en vacances, sont sidérés. « *Je roule en voiture vers le Vaucluse quand j'entends à la radio que le président retient la déchéance. Je suis sur le cul ! Il nous prend complètement à revers !* » se souvient le député Régis Juanico. Le président a tranché sans que les élus socialistes réunis puissent participer à un

---

1. Entretien avec les auteurs, le 14 janvier 2016.

quelconque débat. Une cassure de plus s'opère entre François Hollande et sa majorité, alimentée par les déclarations de Christiane Taubira. Ce fameux mardi 22 décembre, la garde des Sceaux va ajouter du flou politique à l'incompréhension d'une grande partie de la gauche. Peu de temps après avoir pris congé du président, les propos de la ministre de la Justice depuis Alger semblent indiquer un sage renoncement. Invitée d'une radio algérienne, elle enterre la déchéance sans aucune ambiguïté :

« Je vous indique par exemple que le projet de révision constitutionnelle qui sera présenté en Conseil des ministres ne retient pas cette disposition. [...] Très sérieusement, je pense que cette déchéance de nationalité des personnes nées françaises, ça pose un problème de fond sur le principe du droit du sol auquel je suis profondément attachée. »

Une humiliation publique qui ne fait que retarder l'inévitable : la démission de la ministre. Une fois encore, l'hésitation du président à trancher, y compris les têtes quand cela s'impose, ne fera qu'engluer un peu plus ce long et désastreux feuilleton.

27

« *Je dois montrer*
que je suis capable d'aller au-delà
de mes convictions personnelles »

« Nous nous sommes vus le 22 décembre. Christiane Tau-
bira était partie en Algérie pour deux ou trois jours. Elle
ne nous avait pas dit qu'elle donnerait des interviews à
des médias algériens, donc je ne lui avais pas délivré de
consignes particulières. Je découvre l'interview. Je l'appelle
et elle est de bonne foi. Elle m'explique : "Je pensais sincè-
rement que l'on s'orientait vers l'abandon de la déchéance
de nationalité. La télévision algérienne m'a harcelée pour
que je réponde sur ce sujet. J'ai fini par répondre ce que je
croyais savoir." Elle me précise que son cabinet lui avait
laissé penser, après des discussions avec le secrétariat général
du gouvernement, que la déchéance serait abandonnée. Je
comprends ses arguments.

Le mercredi matin, je la retrouve ici avec le premier
ministre, avant le conseil. Elle ne me dit pas son intention
de partir à ce moment-là. Lors de la conférence de presse, elle
se défend avec cette formule : "Le président a eu le premier
mot le jour du congrès et le dernier mot aujourd'hui, le
23 décembre." L'idée de la démission ne vient qu'après les
vacances de Noël. Le premier ministre est chargé de porter
la réforme constitutionnelle, la ministre, elle, exprime des

difficultés à ne pas pouvoir porter le texte alors qu'elle est garde des Sceaux. À partir du 7 janvier, je comprends qu'elle veut démissionner. Mais les cérémonies de commémoration des attentats de Charlie Hebdo *reportent la décision.*

Je ne peux pas dire qu'elle m'a piégé avec son livre. Mais en même temps, elle était dans l'idée de partir depuis le début. Elle voulait partir. Pendant toute la période, elle disait qu'elle était traversée par un débat personnel, qu'elle était dans un conflit de loyauté par rapport à moi et par rapport à ses convictions, mais qu'on pourrait trouver un compromis. Tout cela, alors qu'elle avait rédigé son livre pendant les vacances de Noël ! Elle sait qu'elle va partir dès ce moment-là. Mais elle ne le dit pas. Elle aurait pu m'en avertir. Si elle m'avait dit dès le 23 décembre qu'elle ne pouvait pas rester, on aurait coupé ce jour-là. J'ai cru à sa parole lorsqu'elle dit : "Il n'y a qu'une parole, celle du président."

Samedi dernier, le 23 janvier, tôt le matin, elle me fait porter une lettre accompagnant les épreuves de son livre. Dans sa lettre, elle m'annonce qu'elle ne peut plus rester au gouvernement. "Je pars", me dit-elle. Je l'apprends ce matin-là. Elle doit voir Manuel Valls l'après-midi. Je le préviens : "Tu n'es pas censé savoir qu'elle m'a envoyé cette lettre et le livre qu'elle s'apprête à sortir. Vois-la, on en reparle après." Valls voit Christiane qui ajoute avoir enregistré une émission le matin même avec Michel Denisot, dans laquelle elle annonce quasiment qu'elle démissionne. Là, c'est clair. J'appelle alors Christiane pour régler les choses. Je dois partir en Inde pour une visite de trois jours. Nous convenons de garder le secret jusqu'à mon retour. Elle a parfaitement respecté cette consigne. Personne n'en a rien su pendant ces trois jours. Pas même ses plus proches collaborateurs ! Je reviens d'Inde le mardi soir. Manuel Valls me rejoint à l'aéroport pour fixer les choses et décider du successeur. Le mercredi matin, avant 9 heures, je reçois Christiane Taubira et "nous procédons".

Le doute a existé sur la déchéance. Tout cela a semé la confusion, dont Christiane Taubira a été victime. C'est vrai qu'il y avait eu des confidences, un déjeuner de presse du premier ministre qui s'interrogeait sur la nécessité de retenir la déchéance. Moi-même, j'avais reçu deux ou trois personnes, comme Patrick Weil [l'historien] *ou Laurent Joffrin* [le journaliste] *et je me suis interrogé avec eux sur la bonne façon de faire. Qu'est-ce qui m'a convaincu de le faire ? Sur le plan politique, que je mette ou que je ne mette pas la disposition sur la déchéance, la révision constitutionnelle ne peut passer que par l'apport des voix de l'opposition. Si je ne retenais pas la déchéance, la droite aurait dit : "On ne vote qu'à condition de réintroduire la déchéance par amendement, et si vous refusez, cela veut dire que ce n'est pas conforme à votre engagement devant le Congrès." Je pense que l'effet aurait été pire que le débat que nous avons eu.*

Il y a aussi un argument juridique. Le Conseil d'État aurait pu juger que la déchéance pouvait se faire par une loi simple, sans passer par la Constitution. Nous l'aurions alors suivi. Mais le Conseil d'État souligne trois éléments. Premièrement, vous devez passer par la Constitution notamment par l'article 34 qui définit les conditions de la nationalité par la loi. Deuxième élément, il est impossible de prononcer la déchéance sur n'importe quel crime ou délit, il doit être précisé que cela concerne les crimes contre la nation. Troisième élément, il est impossible d'inventer un système transitoire de l'état d'urgence. L'avis me parvient le lundi 21 décembre. Le lendemain matin, le mardi, je réunis le pre-

145

mier ministre et le ministre de l'Intérieur. Nous décidons de nous caler purement et simplement sur cet avis. Le Conseil d'État est finalement beaucoup plus protecteur que le système que nous avions imaginé. Il constitutionnalise l'état d'urgence sans qu'il soit possible d'en sortir par un système transitoire, mais il nous dit surtout – ce qu'on a mal expliqué – que la déchéance doit être strictement limitée. Pour éviter qu'il soit fait un mauvais usage de la déchéance, il nous demande de le limiter aux crimes contre la nation. Or quand Nicolas Sarkozy avait prononcé le fameux discours de Grenoble à l'été 2010, il proposait l'élargissement de la déchéance et son utilisation pour des crimes ou des délits qui concernaient par exemple les meurtres de policiers ou le grand banditisme. En ce sens, cette révision constitutionnelle est une double garantie.

Il y a eu un débat entre nous : Manuel Valls a hésité sur la déchéance. Mais il a fini par reconnaître que l'engagement du Congrès est un problème. Cazeneuve aussi s'est interrogé, il considère que l'avis du Conseil d'État doit être repris.

Est-ce un tournant du quinquennat vis-à-vis de la gauche ? Je ne le crois pas. Christiane Taubira est un talent, une incarnation de la réforme du mariage pour tous. Mais elle ne porte pas une ligne politique, économique. Elle ne cherche pas à rassembler les frondeurs. Elle a d'ailleurs annoncé qu'elle ne participerait pas à une primaire de la gauche.

Mais je savais que ce serait difficile avec la gauche. Beaucoup m'avaient alerté. En même temps, Christiane Taubira n'émet aucune réserve lorsqu'on envoie le texte au Conseil d'État ! Elle ne manifeste pas d'adhésion, mais elle ne dit rien. Lorsque je prononce mon discours, le 16 novembre, devant le Congrès, la déchéance ne suscite pas de débat. Je ne vois pas dans la presse de grands commentaires pour s'insurger. Ce qui fait débat à ce moment-là, notamment dans le journal Le Monde, c'est l'état d'urgence.

Après le discours au Congrès, le temps passe. Vient le moment des cérémonies, le travail de deuil. La question de la déchéance revient dans le débat parce qu'elle a mauvaise presse. Elle avait donné lieu à un débat après le discours de Grenoble de Sarkozy. Elle avait été abandonnée. Dans mon esprit les choses ont changé. Il s'agit de l'étendre à des terroristes qui ont engagé une guerre, jusqu'à tuer d'autres Français. Par ailleurs, quand, en 2015, nous avons prononcé cinq déchéances de nationalité, et une en 2014, y a-t-il eu des débats ? Des mouvements d'opinion ? Des manifestations ? Non ! Personne n'a réagi ! Il y en a eu sous le quinquennat de Jacques Chirac, là non plus, personne n'a manifesté. Personne n'est choqué qu'on enlève la nationalité à un traître. C'est la loi de 1938. Quiconque travaille pour une puissance étrangère n'est plus français. Il est binational, il prend la nationalité du pays pour lequel il a commis son acte de trahison.

Bien sûr, il y a un coût politique. Mais moi, ce qui m'importe, c'est l'unité nationale. Si je m'exprime comme je le fais à Versailles, c'est pour rassembler la nation. Je dois montrer que je suis capable d'aller au-delà de mes convictions personnelles. Je ne l'avais pas écrit dans mon programme. Le candidat François Hollande n'avait pas annoncé qu'il étendrait la déchéance de nationalité aux binationaux auteurs d'actes terroristes. Mais le président François Hollande va dans cette voie. Il y a d'une certaine façon une séparation entre l'homme que je suis et le président de la République. Je fais preuve d'une forme de transgression personnelle pour

147

bien montrer que je suis prêt à rassembler la nation. En revanche, je ne suis pas prêt à faire que les fichés S soient dans des centres de rétention, qu'on leur mette des bracelets électroniques. Je me situe dans l'État de droit. Je prends une disposition parfaitement encadrée qui peut faire écho à ce qu'attend la droite. Je sais qu'on est dans le symbole. Un terroriste, rien ne le dissuade, même pas la mort. Il se tue à la fin. Mais celui qui fait la guerre à son propre pays est un traître. Il perd de fait la nationalité et est renvoyé dans la puissance étrangère au profit de laquelle il a trahi. C'est la loi Daladier. La limite, c'est que l'État islamique n'est pas un État au sens classique du terme. C'est le problème.

Lorsqu'on revient sur cette période, imaginez qu'après les attentats du 13 novembre, le pays se soit déchiré. Avec une mise en cause des responsabilités au plus haut niveau de l'État. C'était épouvantable pour moi ! Pas seulement en tant que candidat à un second mandat, mais pour poursuivre mon mandat, pour gouverner la France ! Le déchaînement des passions était un risque, la remise en cause de la capacité à vivre ensemble. J'ai pensé que c'était un risque réel, c'est pourquoi j'ai agi ainsi. »

28

Bye bye Cécile

Elle n'avait pas remis les pieds à l'Élysée depuis son départ du gouvernement. Ce vendredi 22 janvier 2016, Cécile Duflot est reçue au Château dans le cadre des consultations sur la constitutionnalisation de l'état d'urgence et la déchéance de nationalité. L'ambiance est tendue. Emmanuelle Cosse, à l'époque secrétaire nationale des Verts, et Ronan Dantec, sénateur écologiste, complètent la délégation. François Hollande, Manuel Valls et Jean-Marie Le Guen, ministre des Relations avec le Parlement, les reçoivent dans le bureau présidentiel, autour de la table de travail. Le président lance le débat en s'adressant spontanément à son ancienne ministre. Mais Cécile Duflot passe son tour et laisse ses deux camarades s'exprimer en premier. Le président revient vers elle : « *Cécile ?* » Manuel Valls, assis face à elle, la fixe d'un œil sévère. Il s'attend naturellement à être en complet désaccord avec celle qui s'est toujours opposée à ses positions sécuritaires. Ces deux-là se détestent. Cécile Duflot lâche une phrase. Une seule. « *Je pense que la déchéance de nationalité risque de créer un climat politique détestable.* »

Le premier ministre bondit de sa chaise. *« J'ai cru qu'il me menaçait physiquement »*, raconte Cécile Duflot. *« Toi, tu vas apprendre à bien réfléchir avant de tweeter !* s'énerve le premier ministre. *Tu m'as bien compris !? Tu réfléchis et après tu tweetes !* »* Malgré le contexte dramatique, le président, spectateur de la scène, s'en amuse. Il rit même franchement. Cécile Duflot ne lâche rien et ironise : *« Pourquoi ? Ça fait aussi partie de l'état d'urgence ? Il faut demander la permission pour tweeter ? »*

La scène résume à elle seule le degré de tension qui s'est installé entre les différentes gauches. Cécile Duflot n'a plus rien d'une partenaire de la majorité. Chez les Verts, elle est de ceux qui ont plaidé pour faire cavaliers seuls aux régionales, voire pour faire alliance avec les amis de Jean-Luc Mélenchon plutôt qu'avec le PS. Une stratégie floue qui aboutit à des résultats désastreux : après avoir été décimés aux départementales, les élus verts ont quasiment disparu des exécutifs régionaux. Entrée en rébellion alors qu'elle était au commencement la ministre préférée du président, Cécile Duflot a structuré son discours d'opposante dans l'affrontement avec Valls, alors ministre de l'Intérieur. Pourtant, lors d'un déjeuner, ils avaient, à l'automne 2013, convenu d'un pacte de non-agression. Chacun sur ses sujets, en prenant bien soin d'éviter toute prise de position qui pourrait être perçue comme une provocation par le camp d'en face. Mais trois jours à peine après ce tête-à-tête, le locataire de Beauvau déclenche l'une des plus fortes polémiques du quinquennat sur la question des Roms et de leurs difficultés à s'intégrer. S'ensuit un affrontement politique aux conséquences irréparables pour le maintien des Verts au gouvernement. Hollande choisira Valls contre Duflot. Un épisode déterminant dans la fracture entre le président et son ancienne ministre.

Ce mardi 24 septembre 2013, France Inter consacre sa matinale à la question des Roms. Manuel Valls en est l'invité exceptionnel : « *Un peu fort de la part d'une radio de gauche de consacrer deux heures aux Roms alors que le reste du temps elle nous reproche de trop en faire sur ces questions* », ironise le ministre de l'Intérieur lorsqu'il revient sur cet épisode. Il fait, ce matin-là, le choix d'assumer une ligne dure : « *Il faut dire la vérité aux Français. Ces populations ont des modes de vie extrêmement différents des nôtres, et qui sont évidemment en confrontation, il faut tenir compte de cela, cela veut bien dire que les Roms ont vocation à revenir en Roumanie ou en Bulgarie. Il y a évidemment des solutions d'intégration mais elles ne concernent que quelques familles.* » François Hollande descend à peine de la tribune de l'assemblée générale des Nations unies à New York lorsqu'on lui rapporte les propos de son ministre.

Le président, qui suit en permanence le fil de l'agence AFP sur son smartphone, perçoit les premières vagues annonciatrices de gros temps. Les Verts s'indignent, certains élus socialistes aussi, le premier secrétaire du Parti socialiste Harlem Désir reste muet comme une carpe. Avant de quitter les États-Unis, il retrouve les journalistes dans un grand hôtel new-yorkais. Une conversation informelle pour revenir sur les thèmes abordés à la tribune des Nations unies. On parle Syrie, armes chimiques, nucléaire iranien, un peu de politique intérieure autour de l'inversion – déjà annoncée ! – de la courbe du chômage... Mais pas un mot sur les Roms. Les déclarations polémiques du ministre de l'Intérieur n'ont pas encore été relayées par les rédactions à leurs correspondants sur place.

En quittant l'hôtel, le président lance à quelques confrères : « *Je vous ramène à Paris si vous voulez, il y a de la place dans l'avion !* » Les journalistes ayant pris leurs dispositions, profitant de l'occasion pour rester quelques heures ou quelques jours de plus sur place, réagissent sans grand enthousiasme. Mais François Hollande insiste. « *Vous êtes sûrs ?* » L'invitation du président fait « pschitt ». En fin de journée, Claudine Ripert, la conseillère en communication de l'Élysée, appelle quelques confrères pour renouveler l'invitation à faire le voyage sur le vol présidentiel : « *Finalement, on a quatre ou cinq places, tu peux venir !* » Quand même tentant pour un chroniqueur politique de passer quelques heures dans l'avion présidentiel... mais le retour sur « Air Hollande One » n'est pas gratuit. Les journalistes doivent payer leur place et le prix du siège en business est élevé : 980 euros. Sans compter que les billets déjà achetés ne sont plus remboursables et que la nuit d'hôtel à 500 dollars, déjà réservée, ne peut pas être annulée. « *Trop cher, Claudine, ma rédaction ne suivra jamais.* » Vraie raison pour certains, prétexte idéal pour d'autres. « *J'ai encore des courses à faire à New York [...] j'ai pris des places pour un match de base-ball...* »

Le Monde, *Le Parisien*, BFM TV, *Le Figaro* déclinent l'invitation. Jeff Wittenberg, de France 2, et l'un des auteurs, pour Europe 1, en réfèrent à leurs directions : « *Je peux rentrer avec le PR, j'aurai peut-être un échange avec lui mais c'est pas garanti et ça nous occasionne un surcoût sur la mission de 980 euros.* » France 2 et Europe 1 donnent le feu vert : « *Banco, tu dis bye bye à New York.* » Fin du shopping, nous quittons Big Apple direction le tarmac de l'aéroport JFK. À peine installé dans l'avion, François Hollande nous rejoint à l'arrière de l'appareil. « *Ah ! vous êtes venus, vous ! C'est gentil.* » Entrée en matière décontractée. « *Bon, quoi vous dire… sur l'Iran, sur la Syrie, on a déjà un peu tout dit…* » « *Monsieur le président, vous allez à Florange jeudi,* l'interrompt Jeff Wittenberg. *C'est important ?* » Le regard de François Hollande s'allume. L'ONU, la Syrie, l'Iran, c'est déjà du passé. « *Oui, il faut y aller, pour solder les choses. Et puis Édouard Martin, le syndicaliste, il veut quelque chose, un centre de recherche sur l'avenir de la sidérurgie à Florange, eh bien on va voir ce qu'on peut faire.* » C'est une information : le président ne viendra pas les mains vides.

Deuxième sujet – auquel il s'attend visiblement : la polémique amorcée par les propos de son ministre sur les Roms. La formulation de sa réponse est précise et les mots bien choisis : « *Sur les Roms, c'est vrai : la majorité d'entre eux ont vocation à être raccompagnés en Roumanie. Seule une minorité veut s'intégrer. Et la question d'ailleurs, c'est "est-ce qu'on a vocation à accueillir tous les Européens les plus pauvres ?"* » Comme un écho à la phrase de Michel Rocard : « *La France ne peut pas accueillir toute la misère du monde… mais elle doit en prendre fidèlement sa part.* » Sur les Roms, François Hollande s'en tient à la première partie de la citation. Le « off » n'a pas duré plus de dix minutes. Dix minutes très utiles. À 8 heures, ce jeudi matin, l'un des auteurs est en direct sur Europe 1 : « *Il n'y a pas une feuille de papier à cigarette entre Manuel Valls et le président de la République. Écoutez les mots de François Hollande, quasiment identiques à ceux de son ministre.* »

Au même moment, un autre membre du gouvernement est en route pour Angers et les journées parlementaires des écologistes. Le soutien visiblement apporté par Hollande au ministre de l'Intérieur sonne comme une déclaration de guerre pour Cécile Duflot. Devant ses troupes, elle sort l'artillerie lourde, allant jusqu'à comparer les propos du locataire de la place Beauvau au discours de Grenoble de Nicolas Sarkozy. « *Manuel Valls est allé au-delà ce qui est admis dans le pacte républicain [...] et j'attends sur ce point que le président de la République s'exprime.* » Cécile Duflot en appelle au chef de l'État pour qu'il arbitre publiquement son duel avec le ministre le plus populaire du gouvernement. C'est de Florange que François Hollande découvre cette passe d'armes entre son aile gauche et son aile droite. Son retour en Moselle était jusqu'ici un succès. Il est en passe d'être gâché par la polémique qui alimente déjà les chaînes d'information en continu.

Le secrétaire général de l'Élysée, Pierre-René Lemas, découvre la violente admonestation de Duflot sur les smartphones que lui tendent les journalistes : « *Il faut tout de suite avertir le président.* » « *Que voulez-vous que je fasse ?* lance celui-ci à ses conseillers tétanisés. *On verra plus tard. Ce n'est pas le lieu ni le moment, je connais le fonctionnement médiatique, il ne faut pas réagir à chaud.* » François Hollande attendra six jours pour s'exprimer, dans le huis clos du Conseil des ministres. Pour que ses propos soient fidèlement rapportés, au mot près, un technicien installe un micro bien en vue sur la table du Conseil. Ce 2 octobre, le président entame son propos par un rappel à l'ordre. « *Collégialité, responsabilité, solidarité. Les ministres doivent toujours respecter ces principes.* » Sur le fond, rien de nouveau. Le président renvoie à une circulaire précédente qui règle la question des Roms. Les deux principaux ministres à l'origine du psychodrame sont plus directement visés lorsque le président conclut : « *C'est la dernière fois !* » lance-t-il. Une déclaration un peu trop optimiste !

Consciente d'avoir franchi la ligne jaune en lançant un ultimatum au président, la ministre du Logement va, dans les semaines qui suivent, tenter par tous les moyens de se rabibocher avec l'Élysée. Mais le chef de l'État refuse de la prendre au téléphone. Ravalant son orgueil, l'écologiste se résout à lui écrire une lettre d'excuses. Valls, de son côté, se sent, de fait, renforcé. D'autant qu'il ne digère pas les attaques dont il fait l'objet. « *On m'a quasiment traité de nazi*[1] *!* » Les plus coupables à ses yeux sont les membres de sa famille, les socialistes. « *Harlem Désir n'a pas dit un mot pour me défendre ! Non mais on rêve !* » Quant au premier ministre, à l'époque Jean-Marc Ayrault, Manuel Valls a encore moins apprécié qu'il fasse fuiter dans la presse de prétendus regrets qu'il aurait exprimés devant lui : « *C'est faux ! J'ai dit que je regrettais la teneur*

---

1. Entretien avec l'un des auteurs, le 7 octobre 2013.

des débats et que je regrettais surtout la violence des attaques dont j'ai été l'objet. Sur le fond, je n'ai rien retiré. Ce qu'a fait Jean-Marc n'est pas correct, je le lui ai dit. » Loin d'en rabattre sur le sujet, le ministre de l'Intérieur se sent conforté par les sondages qui valident, vague après vague, sa posture très ferme à l'égard des Roms.

Cet épisode politiquement très violent sonne comme l'acte fondateur de la future rupture entre les deux gauches, qui sera creusée par le virage libéral et entérinée par la déchéance de nationalité. Mais il en dit aussi très long sur la gouvernance de François Hollande. Sur les Roms, il a rendu un arbitrage sans jamais prendre la parole publiquement. Il a utilisé un échange informel avec des journalistes pour purger la polémique. Lorsque François Hollande nous invite dans son avion, il le fait pour nous livrer un message qui a vocation à être rendu public. Mais surtout pas par lui. C'est une maxime hollandaise : ne jamais être associé ou mêlé directement à la polémique. Le président nous utilise comme des émetteurs. Quelques minutes après l'intervention sur Europe 1 de l'un des auteurs, rendant compte de sa position sur les Roms, de nombreux confrères ont appelé à l'Élysée. « *Que pense vraiment le président ? Ça veut dire qu'il soutient Valls ? C'est vrai ce que dit Europe 1 ?* » « *Pas de commentaires* », répondent les conseillers. Pas de démentis non plus.

Cette crise des Roms marque une rupture, pour le président, dans ses relations avec Cécile Duflot. Celle qu'il désignait souvent comme l'une des ministres les plus talentueuses de son gouvernement l'a mis en difficulté en défiant le ministre de l'Intérieur et le premier ministre, sous son autorité. François Hollande comprend avec cette crise que ce n'est pas sur l'écologie que la fracture va s'opérer avec les Verts, mais sur le reste : l'économie, la sécurité, les questions européennes. Autant de sujets sur lesquels le président n'est pas prêt à faire des concessions. Ni aux écologistes ni aux frondeurs. Dès cette fin septembre 2013, François Hollande sait que Cécile Duflot ne terminera pas le quinquennat à ses côtés. Il ne sait pas quand, mais elle finira par sortir. Quelques mois plus tard, Manuel Valls s'installe à Matignon. Cécile Duflot se voit proposer le rêve de tout écologiste : un grand ministère incluant les transports et l'énergie, avec un rang protocolaire élevé dans la hiérarchie gouvernementale. Elle décline et oblige ses amis à la suivre dans sa stratégie de rupture. Un échec pour elle. Mais aussi pour l'Élysée.

29

« Faut-il sortir Duflot ? »

« Il y a à peu près vingt mille Roms aujourd'hui en France. C'est vrai que la majorité [d'entre eux] a vocation à un moment ou à un autre à rentrer là où elle doit vivre. C'est-à-dire en Roumanie. Une minorité trouvera une solution ici. Et d'abord s'ils le veulent vraiment. Après, ce n'est pas la même chose de dire que, par culture, une population n'aurait pas du tout de possibilité d'intégration ou de volonté d'intégration.

Le seul regret que j'ai eu c'est quand j'ai vu que Manuel Valls avait fait cette expression publique et qu'il la maintenait. Le premier à être gêné c'est Jean-Marc Ayrault qui fait un discours au même moment devant les parlementaires. Moi je n'ai de retour que dans un deuxième temps, alors que je suis à New York. Deuxième épisode : Manuel Valls confirme ses propos dans la matinale de RMC. C'est là qu'il aurait dû corriger ! Nous nous retrouvons pour le Conseil des ministres, Duflot vient me voir et me dit à propos de Valls : "C'est un problème. Parler de population qui ne pourrait pas s'intégrer par nature…" Elle ne me dit pas qu'elle va s'exprimer publiquement, elle demande simplement qu'il y ait une rectification. Je lui en donne l'assurance. Sur le fond il n'y a pas de débat, mais sur les propos, Valls n'a pas employé les mots qui conviennent. Le problème c'est que la presse accentue la pression en expliquant que je soutiens la politique de Valls – bien sûr que je la soutiens, c'est la mienne ! Donc je me soutiens moi-même – mais la presse ajoute que j'aurais été favorable à cette phrase. Ce qui n'est pas du tout le cas. Je n'ai jamais pris cette phrase à mon compte. Cette interprétation de la presse a dû énerver Duflot.

Le jeudi, lendemain du Conseil des ministres, elle prend le train pour Angers où elle se rend aux journées parlementaires des Verts. Elle me demande, devant micros et caméras, "une clarification !". Que cherche-t-elle ? À faire l'unité des Verts autour d'elle ? Ou est-ce qu'il y a une part d'expression personnelle qu'elle n'arrive pas à maîtriser ? Si je fais une déclaration sur ce sujet, mon déplacement préparé de longue date à Florange disparaît. Même si le déplacement est déjà entaché de cette phrase de Duflot alors que les ouvriers sont là, je décide de traiter ça plus tard. Le mieux c'est de traiter ça à froid, pas à chaud si j'ose dire avec l'exemple de Florange. Pas la filière chaude mais la filière froide ! [Rires] Duflot se rend compte qu'elle a commis une transgression.

Une part de l'explication, c'est qu'elle vit avec le frère de Bertrand Cantat... [Xavier Cantat, qui a accusé sur Twitter Manuel Valls de tenir des propos racistes] *C'est le côté humain, cela a compté. Elle ne m'en a jamais parlé mais il y a suffisamment d'indices pour qu'on puisse comprendre que c'est pour elle une pression psychologique assez forte. Il envoie des tweets sur le sujet, ils vivent ensemble. Il a dû lui dire : "Il faut que tu réagisses, sinon je vais le faire." Je ne connais pas leur vie, je ne peux pas me permettre de rentrer dans leur intimité, mais sans doute cela a joué. Elle fait sa sortie, et elle se rend compte qu'elle a commis une transgression. Je lui laisse du temps. Dans ces cas-là, il faut laisser les gens dans leur trouble. Ce qui me revient, c'est qu'elle est consciente d'avoir été trop loin. Dans les jours qui suivent, elle m'envoie une lettre. Elle a franchi la ligne. Elle le sait. Elle est en demande de trouver une issue qui permette de sortir – pas du gouvernement mais de cette épreuve. Je ne lui réponds pas. J'attends le Conseil des ministres suivant.*

Dans le même temps je m'interroge – et cela dépasse Duflot mais concerne tous les écologistes : quel est leur apport et quel est le prix de leur participation au gouvernement ? Il se trouve que ce n'est pas moi qui ai négocié l'accord avec les Verts, qui leur a permis d'avoir dix-sept députés ! Je n'étais pas chef de parti. J'ai dû d'ailleurs corriger cet accord et ça a été compliqué pendant la campagne présidentielle. Si je les ai fait rentrer au gouvernement avant même les élections législatives, c'est parce qu'il est important qu'il n'y ait pas qu'un seul parti qui gouverne. Pendant plusieurs mois, nous avons connu quelques incidents, comme par exemple leur abstention sur le vote du traité européen. On me demandait déjà de sortir les Verts !

Alors, faut-il sortir Duflot à ce moment-là ? Cela revient à sortir les Verts de la majorité à la veille des élections municipales. Je romps une alliance et je le fais sur un thème – les Roms – qui n'est pas le plus simple. Même si la majorité des électeurs de gauche sont d'accord avec la politique d'immigration que nous menons, ça peut heurter aussi une partie de la gauche. Les mêmes d'ailleurs qui nous reprochent une politique économique trop libérale. Je choisis de ne pas la sortir. Bien sûr, Cécile Duflot n'est pas la seule en cause. J'ai aussi une explication avec Valls. Je lui dis : "Il faut faire attention aux mots qu'on utilise et ne pas heurter des sentiments alors même que la politique que nous menons n'est pas en cause. Ça ne sert à rien d'offrir à ceux qui nous contestent des formules qui peuvent apparaître comme stigmatisantes." C'est exactement ce qu'on avait reproché à Sarkozy ! »

30

La gauche explosée

En quelques semaines, la situation politique de François Hollande va se dégrader. Comme si le tacticien avait perdu la main. La réponse aux attentats a fait exploser la gauche sur la question des valeurs et conduit au départ de Taubira, tandis que la maudite courbe du chômage continue désespérément de grimper. D'où l'idée d'un coup d'éclat. La femme qui doit incarner l'offensive est à l'époque une illustre inconnue, Myriam El Khomri.

« J'ai passé mes vacances de Noël à relire les débats autour de la loi Macron. Je démine ! » La nouvelle ministre veut transmettre le message : elle est prête. À la hauteur. Emmanuel Macron, « le crack », a été dépossédé du dernier grand texte du quinquennat à son profit, alors pas question de se rater ! Devant quelques journalistes, ce mardi 12 janvier 2016, la ministre éprouve sa méthode. *« Je rencontre les députés par quinzaines chaque soir. Je suis très attendue, je le sais. Je vais voir les Républicains, les centristes et les Verts. Je m'appuie sur les rapports Mettling et Combrexelle* [deux rapports sur le marché du travail]*… »* El Khomri, c'est, dit-on, du solide. Gon-

flée à bloc comme un élève requinqué à la rentrée, la ministre du Travail compte marquer son territoire. C'est elle qui est à la manœuvre. Elle qui pilote. Sans voir que le mur se rapproche. Des fuites dans *Le Parisien* sur le contenu de la loi, et bientôt la menace du passage en force pour soumettre une gauche au bord du dégoût alors que le débat sur la déchéance n'est pas encore digéré : sa loi va lui échapper.

« *Trop c'est trop !* » Martine Aubry se réveille le 24 février en signant une tribune dans *Le Monde*. Fidèle à sa méthode, elle plante sa banderille et court juste après se réfugier dans sa mairie de Lille jusqu'à la prochaine éruption. « *Ce n'est plus simplement l'échec du quinquennat qui se profile, mais un affaiblissement durable de la France qui se prépare, et bien évidemment de la gauche, s'il n'est pas mis un coup d'arrêt à la chute dans laquelle nous sommes entraînés.* » Le motif de la colère : la loi El Khomri. Mais de candidature à la présidentielle, il n'est pas question. Empêcher les autres d'y aller sans y aller soi-même, c'est l'un des ressorts politiques de Martine Aubry. « *C'est de famille* », ironisent certains socialistes, faisant allusion au refus de son père, le très populaire Jacques Delors, de se lancer en 1995. La loi travail lance la primaire de la gauche. La déchéance a entériné la division entre un socialisme réformiste et sécuritaire que veut incarner Manuel Valls avec la brutalité comme méthode, et un socialisme des valeurs prêt à aller au clash quitte à faire perdre son camp, qu'incarnent alternativement Martine Aubry, les frondeurs ou l'intermittent Arnaud Montebourg.

Manuel Valls, en son hôtel Matignon, menace. S'il faut en passer par le 49.3, il « *prendra ses respon-*

sabilités ». Il en veut au président de la République d'avoir donné une interview à TF1 et France 2 le jeudi 11 février et de n'avoir pas dit un mot de cette dernière grande loi du quinquennat. De toute façon, comme il l'a confié à un de ses amis : « *Le président est cramé !* » Le premier ministre ne croit plus en lui. Son dernier remaniement avec l'entrée de trois écologistes au gouvernement ? « *De la ratatouille !* » Trop de temps perdu en début de quinquennat, se lamente Valls. Il parie sur son empêchement à se représenter, empêtré dans son engagement d'inversion de la courbe du chômage. Devant quelques journalistes, le 24 février, il raisonne. Il espère ? « *Les éléments d'inquiétude sont nombreux : le risque de Brexit, la crise budgétaire qui menace en Espagne, la fragilité de l'économie italienne, la crise des migrants. Et on peut ajouter la croissance qui s'affaisse dans les pays émergents.* » À entendre Manuel Valls, c'est en fini pour le président sortant.

Quelques jours plus tard, la jeunesse défile dans la rue aux côtés des syndicats contre cette loi de la discorde. Cette génération qui a porté François Hollande au pouvoir rejette désormais celui qui demandait, au Bourget, à n'être jugé que sur ses promesses en faveur de la jeunesse. Acculé par sa propre majorité, le président, qui cherche à rassurer sa gauche, se retrouve contraint de lui coller un pistolet sur la tempe : le 49.3. La prédiction de Valls se réalise, l'insurrection s'organise. Les députés frondeurs tentent de faire tomber le gouvernement en organisant une motion de censure « de gauche ». Ils échouent. De peu. Il faut cinquante-huit députés pour la soumettre au vote, ils n'en rassemblent que cinquante-six. Parmi eux vingt-quatre socialistes, dont les anciens ministres Benoît Hamon et Aurélie Filippetti. En deux projets de loi, « Déchéance » et « El Khomri », François Hollande franchit un nouveau cap dans l'impopularité et la défiance : pousser des élus de sa propre famille à tenter de renverser son gouvernement. Inédit ces cinquante dernières années.

La méthode Hollande était jusqu'ici celle d'un président promoteur du dialogue social, par opposition à son prédécesseur qui fustigeait les corps intermédiaires. Cette méthode s'est fracassée sur le mur de la loi travail. Absence de concertation en amont avec les partenaires sociaux : même la CFDT, partenaire privilégié, est rattrapée in extremis dans le cadre d'une deuxième version du texte. Absence de concertation avec la majorité : les députés socialistes n'ont pas été associés à l'élaboration de la loi. François Hollande a donné le sentiment de vouloir précipiter une loi explosive avec l'illusion que *« ça passerait »*. Pourquoi une telle erreur ? Un de ses plus proches, présent à tous les instants clefs du quinquennat, livre une explication très terre à terre : *« Le temps presse, malgré tous les efforts consentis en faveur des entreprises, le président se rend compte qu'elles ne jouent pas le jeu. Le Medef continue d'en vouloir toujours plus. Il s'est dit que cette loi était la dernière chance, le dernier levier pour inverser la courbe du chômage. C'est aussi simple que ça. »* Ironie de l'histoire, le chômage baisse fortement en mars, puis en avril. La courbe du chômage s'inverse alors que la loi travail est en discussion. Sans doute le président aurait-il pu s'épargner le spectacle d'un pouvoir défié par le nouveau héros de la CGT au physique de BD, Philippe Martinez. Le syndicaliste, qui profite de la faiblesse d'un président en fin de règne, saisit l'occasion pour engager une lutte sans merci en multipliant les blocages dans tout le pays. On est loin de 1968 ou de 1995, mais un parfum de chienlit s'abat sur la France au moment où son économie montre des signes tangibles de reprise. Empêtré jusqu'à l'été 2016 dans sa loi travail, François Hollande finit par reconnaître du bout des lèvres une forme d'échec : « *La loi en elle-même, son article 2, n'est plus l'enjeu. Le seul enjeu, c'est de savoir si l'État tient ou ne tient plus. C'est la seule question*[1]. »

---

1. Entretien avec l'un des auteurs, le 24 mai 2016.

31

« Si on passe la loi travail
en ayant brutalisé, il y aura
une sanction du peuple de gauche »

« Il y a eu plusieurs moments dans le quinquennat où la jeunesse s'est mise en mouvement, comme lors de l'épisode Leonarda. On peut penser que s'il n'y avait pas eu les attentats de l'année dernière au mois de janvier, il risquait d'y avoir d'autres mouvements de jeunes : sur la loi Macron, ou même sur les mesures sur le renseignement ou la sécurité. J'ai toujours gardé une certaine vigilance sur la jeunesse. Une jeunesse qui est inquiète pour son avenir. Là on y est confronté. J'y vois deux explications : le risque d'attentat qui l'expose à une insécurité, inquiétude à laquelle s'ajoutent le chômage et la précarité. Deuxième explication : une accumulation de sujets éruptifs. La déchéance de nationalité a heurté une partie de la jeunesse, la crise des migrants aussi. C'est dans ce climat que la loi travail intervient, avec l'idée, que certains ont développée, d'un risque de précariser encore davantage la jeunesse. Dans cette affaire, une fois encore, le Parti socialiste a joué un rôle néfaste. Il a alimenté cette idée que nous aurions renoncé à notre ligne de concertation, de dialogue. Il n'y a pas encore réellement d'agrégation des mouvements sociaux, mais il faut rester prudent et vigilant. Il ne faut pas sous-estimer la situation.

*Des périodes de tension j'en ai traversé lors de ce quin-
quennat. Là, il y a une cohérence entre le débat sur les
primaires que certains réclament à gauche, la déchéance de
nationalité, la contestation de mon orientation économique
et le mouvement contre la loi travail. On voit bien qu'il y
a un lien. Le lien, c'est une contestation de la politique que
je mène depuis 2012. C'est aussi la contestation de mon
éventuelle candidature pour en promouvoir une autre sur
une ligne plus à gauche. C'est ça qui est en instrumentali-
sation en ce moment.*

*Cela m'atteint politiquement. Une partie de ceux qui
ont voté pour moi se disaient jusqu'ici : "C'était difficile,
mais on a suivi. Mais sur le travail, pourquoi fait-il ça ?
Pourquoi va-t-il aussi loin ?" Un sentiment renforcé par la
défiance de la CFDT, alors même que sur toutes les autres
réformes, j'avais son soutien. Qu'il s'agisse des retraites, du
pacte de compétitivité, j'ai toujours eu la CFDT avec moi.
Sur la loi travail, reconnaissons-le, il y a eu une prise de
distance sans doute parce que la présentation du texte n'a
pas été faite comme il aurait fallu. L'évocation du 49.3 par
Myriam El Khomri dans l'interview aux* Échos *a été perçue
comme un passage en force. Le passage en force n'est pas
ma méthode. C'est celle de Manuel Valls, qui souligne qu'il
"tiendra bon"... Et qui a ajouté la phrase sur le 49.3 dans
l'interview aux* Échos *? Valls m'assure que ce n'est pas
lui. Mais il y a quelqu'un à Matignon qui pense que c'est
bien de l'évoquer. Le texte n'a même pas été présenté au
Conseil d'État, ni au Conseil des ministres et a fortiori pas
au Parlement, et on annonce par avance qu'on utilisera le
49.3 ?! Traduction : on n'y croit pas, on a peur. C'est l'erreur majeure de communication qui crée le désordre. "S'ils
veulent passer ainsi, c'est qu'il y a un mauvais coup",*

c'est, en substance, ce que les parlementaires de la majorité redoutent. Manuel Valls ne s'est pas rendu service en faisant cela, il s'est contraint à jouer la concertation. Il est victime de sa communication.

Prenons un peu de recul : lui pense que le débat est entre les deux gauches. Je pense pour ma part que le débat est avec le pays, il n'est pas avec la gauche. Le débat aurait dû être mené dans le pays. Convaincre les Français qui sont disponibles et prêts à comprendre l'intérêt de la réforme. Mais il n'y a pas eu de communication à l'égard des Français, il y a eu une communication d'une partie de la gauche contre une autre partie de la gauche. Pour résumer, Manuel Valls contre Martine Aubry. Mais procéder ainsi n'intéresse que la gauche ! Ça ne permet pas d'éclairer ce que l'on fait. Je lui ai fait comprendre qu'il s'était trompé et il l'a parfaitement intégré. Le moment venu, nous aurons besoin de toute la gauche. Quand je dis toute la gauche, j'exclus Mélenchon, Besancenot, Lutte ouvrière : entre eux et nous, il y a bien deux gauches irréconciliables. Mais j'inclus dans la gauche de gouvernement les socialistes, une partie des communistes, les écologistes, les radicaux. Si on dit qu'il y a à l'intérieur de cette gauche-là "deux lignes irréconciliables", l'une incarnée par Martine Aubry et l'autre portée par Hollande/Valls, c'est une stratégie très risquée !

Même Manuel Valls devrait comprendre qu'il n'a aucun intérêt à alimenter cette fracture. Imaginons que je ne sois pas candidat. Il y a alors une primaire et ces deux lignes à gauche qui s'affrontent. À l'issue du combat, comment faites-vous pour passer le premier tour à la présidentielle s'il n'y a pas de réconciliation ? On peut avoir son drapeau et proclamer qu'on est pour une gauche plus audacieuse contre une gauche plus conservatrice. Mais il faut être capable ensuite d'emmener cette gauche-là, de l'associer en vue du premier tour de la présidentielle. De ce point de vue, ce n'est pas non plus l'intérêt de Martine Aubry d'apparaître comme ne voulant pas gouverner la France. Aubry et Valls ne peuvent pas s'exclure l'un l'autre et refuser de gouverner ensemble. Si cette idée s'installait, la gauche ne pourrait plus gouverner pour longtemps.

Certains pensent peut-être que 2017 est perdu ? Moi je pense que 2017 n'est pas perdu. Qu'est-ce que cela signifierait ? Regardons la droite passer face à l'extrême droite, écharpons-nous et on verra comment tout cela se reconstitue ? La question se reposera par la suite. Si toutes les sensibilités à gauche ne peuvent plus s'entendre, il n'y a plus de perspective de gouverner.

Suis-je celui qui peut rassembler la gauche ? Prenons le sujet à l'envers. François Hollande est le problème, donc écartons le problème et cherchons la solution. On en revient à la primaire. Aubry sera-t-elle candidate ? Montebourg ? Sans doute. Valls ? Sûrement. Macron ? Peut-être. Comment ça se vit ? Comment ça se finit ? Ceux qui proposent la primaire, que disent-ils en réalité ? "On ne veut plus de Hollande, on ne veut pas de Valls ni de Macron." Cela veut dire quoi ? Qu'on écarte une partie de la gauche. Ils n'envisagent pas de réconciliation à la fin. Ils ont tort. Il faut trouver le point d'équilibre.

Dans ce contexte, je dois faire attention à ne pas laisser s'installer le refus, le rejet du quinquennat. De tout le quinquennat. Je ne dois pas incarner celui qui est allé trop loin, au-delà de ce qui était possible de concevoir pour la gauche. Je dois être celui qui trouve le bon équilibre. Entre réforme et progrès social. La loi travail est importante pour cela. Ce n'est pas une mesure de plus pour espérer une inversion de la courbe du chômage, cela doit apparaître comme une loi qui nous donne des arguments face à la droite qui va dire : "Nous, on veut tout remettre en cause, sans dialogue social, sans corps intermédiaires, les 35 heures, les retraites, le droit du travail..." Nous devons montrer qu'on avance même si ce n'est pas facile à accepter par une partie de la gauche qui préférerait qu'on ne fasse rien sur l'air d'"On est fatigués, laissez-nous tranquilles". On ne peut pas ne rien faire et laisser dire à la droite : "Il n'y a que nous qui pouvons débloquer le système." Ce qui se joue là, c'est l'avenir du modèle social et du dialogue social dans notre pays. La gauche a beaucoup à perdre, les partenaires sociaux aussi. C'est la dernière chance pour eux comme pour nous. Ma tâche, y compris pour 2017, c'est de démontrer qu'on a accompli notre devoir en menant des réformes jusqu'au bout, et des réformes utiles. Mais une fois encore, il ne faut pas passer de l'autre côté de la barrière. Les réformes Juppé, le CPE... Tous ceux qui prétendent faire avancer le pays et finalement, c'est le recul.

Je pense que c'est décisif. Le quinquennat se joue là, sur ces prochaines semaines. Si on passe la loi travail en ayant brutalisé, il y aura une sanction du peuple de gauche. Si on n'y arrive pas, si l'on cède sur tout, alors pourquoi prétendre faire un autre mandat alors que nous n'avons même pas réussi à finir le premier sans reculer ? Troisième hypothèse : on y arrive, dans une forme d'équilibre, en ayant des alliés, en ayant surmonté les contestations mais sans brutaliser personne : ça comptera.

Je suis lucide. On a traversé beaucoup de moments où la contestation était forte. Le mariage pour tous : un million de personnes dans la rue. La crise des Bonnets rouges en novembre 2013, on pouvait craindre la jacquerie fiscale.

171

Mais c'est la première fois que les jeunes sortent dans la rue, qu'il y a un risque de cristallisation. On est sur quelque chose qui peut prendre de l'ampleur : la SNCF, les fonctionnaires, les jeunes. Il faut faire attention. Je ne sous-estime pas les risques[1]. »

---

1. Entretien avec les auteurs, le 11 mars 2016.

32

Le péché originel

Certains n'ont pas attendu la fin du quinquennat pour dresser le bilan du hollandisme au pouvoir. *« Je ne m'attendais pas à un tel tableau. Je n'imaginais pas qu'on en serait là. »* François Rebsamen, ancien ministre du Travail et proche de François Hollande, ne cache pas son abattement lorsqu'il revient, en cet automne 2014, sur les premiers temps du quinquennat. *« Le président est pris à la gorge : il subit les sondages les plus catastrophiques de la Ve République. »* Ce lieutenant du chef de l'État égrène les raisons d'un naufrage qui se profile, selon lui, dès l'été 2012 : *« Un président normal qui passe à l'as tout ce que la droite nous a légué, qui ne tient pas parole à Bruxelles... Un premier ministre incapable de tenir tête au président, un gouvernement dans lequel personne n'est à sa place, sans parler du manque de travail en amont ! »* Mais le reproche le plus cruel porte sur l'absence de stature. Un autre ministre jette un regard très dur sur cet homme auquel il affirme être resté fidèle : *« Un Bidochon en vacances pour son premier été, et depuis, un président qui a abandonné la politique : il n'y a pas de discours de*

173

rassemblement, pas de sens de l'Histoire. » Et lorsqu'on lui demande s'il a osé dresser ce constat accablant devant le principal intéressé, il a cette incroyable réponse : « *Non, je ne lui parle plus de politique. Il est dans le déni*[1]. » Il est rare et singulier qu'un ministre en exercice se laisse aller à une telle franchise. Si même lui n'y croit plus…

Comme toujours avec Hollande, il y a ce contraste saisissant entre ce que l'on dit de lui et la façon dont lui semble vivre la situation. Entre la violence des commentaires et l'impassibilité de l'homme. Un an après son élection, lors de notre premier entretien, il ne semblait pas éprouvé par le pouvoir, bien qu'étant déjà entré dans l'histoire de la Ve République comme le président le plus impopulaire à l'entame de son mandat. Seul changement visible lié à cette pression présidentielle : quelques kilos supplémentaires. Le régime sévère qu'il s'était imposé, illustration d'une détermination et d'une préparation de boxeur pour la victoire, ne semble plus compatible avec le rythme d'un président. Nous sommes le 1er mai 2013, les défilés réveillent la capitale. Le FN converge place de l'Opéra, les syndicats, en ordre dispersé, entraînent des cortèges peu fournis. Comme si la crise avait rendu les plus vindicatifs résignés. Dans l'antichambre du bureau du président, les huissiers parlent à voix basse. La porte du salon vert s'ouvre. François Hollande accueille lui-même ses visiteurs. Il vient les chercher pour les conduire dans son bureau et les reconduit à l'issue de l'entretien. C'est la pre-

---

1. Entretien avec les auteurs, le 3 novembre 2014.

mière fois que nous revoyons François Hollande en tête à tête depuis son élection. Notre dernier rendez-vous remonte au 17 avril 2012, cinq jours avant le premier tour de la présidentielle. À notre demande, il a accepté de nous revoir. Nous venons lui proposer de renouer le fil du récit entamé quatre ans plus tôt avec ce « Monsieur 3 % » aujourd'hui propulsé dans le bureau du président de la République.

L'homme semble d'ailleurs avoir été pris de court, dépassé par une situation qu'il n'avait pas anticipée avant d'arriver au pouvoir. Tout entier accaparé par la conquête, comme son prédécesseur avant lui, François Hollande n'était pas bien préparé à gouverner. Portée par la campagne, avec comme seul objectif la victoire le 6 mai, la majorité, elle non plus, n'était pas prête. Manuel Valls est l'un des plus critiques sur les débuts ratés du quinquennat. *« On a perdu trop de temps. On a donné le sentiment qu'on prenait des vacances. »* Or la crise est là. Un temps occultée par la ferveur de la campagne, elle réapparaît froidement dès le début du quinquennat : croissance atone et rapport accablant de la Cour des comptes viennent immédiatement rappeler au président l'ampleur de la tâche. Au lieu de s'en saisir et d'expliquer la situation aux Français, le nouveau pouvoir ferme les yeux et choisit la fidélité au discours lyrique du Bourget, au grand dam de Manuel Valls. *« On n'utilise pas le rapport de la Cour des comptes sur la dégradation des comptes publics du pays sous le quinquennat précédent. Dégradation liée à la crise mais aussi aux choix qui ont été faits par Nicolas Sarkozy. Nous n'avons pas, à ce moment-là, un discours de vérité sur l'état du pays, un diagnostic qui justifierait la mise en marche de réformes radicales !* » Pour Manuel Valls, l'erreur de diagnostic est double : il y a bien sûr l'état économique du pays, mais aussi son trouble politique marqué par une droitisation très forte de l'électorat. Là encore, l'ivresse de la victoire semble avoir effacé la mémoire immédiate. « *Nicolas Sarkozy, lors du débat télévisé d'entre-deux tours, perd l'élection, mais il remplit son objectif qui est de récupérer un maximum d'électeurs du Front national par un discours très anti-immigrés,* analyse le premier ministre. *Ce ne sera pas suffisant pour inverser le résultat final, mais les lignes se rapprochent dangereusement dans les trois derniers jours avant l'élection. On est donc dans un niveau élevé de tension dans le pays, avec un Front national très haut – 18 à 19 % –, la campagne de Nicolas Sarkozy qui a tiré un discours très à droite, tout cela, ajouté au diagnostic économique, aurait dû amener un changement de cap radical, un changement de discours, des réformes d'ampleur avec une méthode de gouvernement différente.* » Et le premier ministre, implacable, conclut : « *C'est l'erreur majeure du quinquennat.* »

Au début du règne, c'est le discours très « anti-entreprises » d'Arnaud Montebourg qui semble donner le ton d'un gouvernement sans idée sur le cap à tenir. Le discours de politique générale du nouveau premier ministre n'a rien d'un discours de sang et de larmes et ouvre une session parlementaire où il ne se passe rien ou presque. Les seuls choix budgétaires significatifs consistent à augmenter les impôts ! Un boulet fiscal que le président traînera tout au long de son quinquennat. Trop de temps perdu. Si l'on prend en compte la primaire qui désigne désormais le candidat à la présidentielle, un quinquennat dure... quatre ans. Manuel Valls, évidemment juge et partie, estime que François Hollande en a perdu deux. *« Le vrai tournant, c'est le discours sur le pacte de responsabilité, le 14 janvier 2014, et ma nomination comme premier ministre. C'est vrai que François Hollande ne peut pas tout changer dès l'automne 2012, même s'il a déjà des doutes sur la façon dont les choses ont été engagées* [par Jean-Marc Ayrault]. *Tout quinquennat est marqué par son commencement. Comme ce fut le cas pour Nicolas Sarkozy avec la loi Tepa. Chirac, c'est l'automne social en 1995. Pour celui de François Hollande, il y a eu une hésitation à prendre le taureau par les cornes. »*

Outre les mauvaises nouvelles économiques, l'autre vague qui déferle dès l'été sur la nouvelle équipe est éditoriale. Le président Hollande n'aura pas bénéficié d'un quart d'heure de confiance. Le mois d'août, le nouveau président en garde un souvenir qui marquera les étés suivants. Au bout de trois jours de repos au fort de Brégançon, un double procès lui est intenté : sa passivité dans le dossier syrien et sur les prévisions de croissance moins bonnes que prévu. François Hollande n'aime pas les vacances, il s'y ennuie. Mais depuis qu'il est devenu président, *« les vacances, c'est un problème »*. Il s'inquiète. Il n'a pas vu venir le retournement brutal et violent du climat. Lui qui ne s'accommode guère du conflit va devoir apprendre, rapidement, à évoluer dans une tension permanente. Son tempérament froid et distant l'y aidera.

Dans ses premiers pas, il n'a pas mesuré non plus l'accélération du temps médiatique. Même s'il en avait conscience. Puis il y a eu la campagne des législatives. Majorité absolue pour le PS. Cent cinquante-quatre nouveaux députés envoyés à l'Assemblée. Cent cinquante-quatre jeunes élus pleins d'espoir et sans aucune conscience de la lourdeur du pouvoir. Mais malgré le réquisitoire de Manuel Valls, malgré les attaques très dures de la presse, le président nourrit peu de regrets.

33

« *Les gens allaient forcément être déçus* »

« *S'il n'y avait pas eu un tel rejet de Nicolas Sarkozy, je n'aurais pas pu gagner. De mon côté, j'ai fait une campagne sans promesse. Mais une élection n'est jamais sans illusion, ni sans espérance. On attend le changement. Je sentais bien dans les regards que les gens se disaient : "Il arrive et d'un seul coup le ciel s'éclaircit." Ils allaient forcément être déçus. D'ailleurs, on a eu une météo épouvantable, ça tombait, ça tombait, ça tombait... c'était, dans un sens, prémonitoire. J'arrive ici le 15 mai, je sens bien une ambiance de liesse, mais je sais que ça va être très difficile. Certains, de surcroît, me recommandent de tenir un discours très churchillien dès le lendemain de l'élection. Impossible ! Dans ce climat qui se détériore très vite, dès l'été, la presse a joué un rôle. Elle a un intérêt commercial à hystériser le climat politique. Le duel final s'est gagné sur un écart très réduit avec la droite. Nos adversaires étaient persuadés qu'avec quelques jours de campagne supplémentaires, ils auraient pu gagner. La presse a embrayé aussitôt sur les procès en illégitimité et en incompétence de la gauche.*

Pour la majorité, il a été difficile de comprendre que la période de la fête allait durer très peu de temps. Alors que le souvenir de 81, c'était deux ans de changements, dans plein de domaines. À l'époque Jospin, de la même façon, il y a eu assez vite les 35 heures, les emplois jeunes. Nous étions en période de croissance. Nous, on est tout de suite rentrés dans le dur avec la crise pour seul horizon. À cela s'ajoutent les premières décisions : la maîtrise des dépenses, la refiscalisation des heures supplémentaires. Certains salariés l'ont pris en pleine gueule.

Ce que je retiens de cette première année, c'est aussi une grosse erreur : la gestion politique de Florange. Pas la gestion économique ou industrielle, qui, elle, a été bonne. Quand je parle de gestion politique et sociale, c'est : "Comment, alors que nous trouvons une solution honorable, la gâcher à ce point ?!" Florange vit aujourd'hui ! La filière froide est en pleine activité. Ce sont uniquement les hauts fourneaux qui ont été fermés. Et ils n'étaient déjà plus en activité depuis deux ans. Donc l'idée selon laquelle il y avait une usine qui fonctionnait, qu'on l'a arrêtée et qu'on a trahi est une idée fausse. Mais évidemment, ce qui compte, ce n'est pas que l'idée soit juste ou fausse, c'est comment elle est inscrite dans les têtes.

Finalement pour moi, sur le plan personnel, ce qui a vraiment changé, c'est la liberté que je n'ai plus. La liberté, même comme candidat, même dans le sprint final, c'était de pouvoir circuler comme je le voulais, prendre la voiture, mon scooter, aller là où j'avais envie d'aller. Aller en Corrèze régulièrement, ce qui est important pour moi. J'ai eu envie d'y aller la semaine dernière… C'est trente ans de ma vie. J'y allais tous les vendredis samedis. Tout le temps, tout le temps. Ça fait comme une rupture quand vous n'y allez plus. J'allais faire le même tour, voir les mêmes gens. Cette perte de liberté, oui, je la ressens, mais elle a sans doute été ressentie par tous mes prédécesseurs. Je lisais il y a quelque temps des lettres de Pompidou qui ont été retrouvées par son fils dans lesquelles il parle de l'Élysée : "Je ne peux plus sortir, je suis enfermé." C'était plutôt un bon vivant, Pompidou. Voilà, c'est ce qu'il y a de plus brutal et de plus difficile à vivre. »

LES PERSONNAGES

34

Moi président : la méthode Coué

« *Vous me dites : il faut accélérer ! J'accélère !* [...] *J'en-tends bien les impatiences. Je ne vais pas faire en quatre mois ce que mes prédécesseurs n'ont pas fait en dix ans. Mais moi, je considère que je suis en situation de combat. L'agenda que je propose, c'est que nous puissions avoir des résultats pour ce que j'appelle l'agenda du redressement en 2014.* »

Ce 12 septembre 2012, Hollande a le visage serein et apaisé de ceux qui ont réussi leur coup. Mais la présentatrice vedette des Journaux télévisés de TF1, Claire Chazal, demande une petite précision, sans trop y croire elle-même. « *Avec un objectif en termes d'emplois ? Ou, en tout cas, de réduction du chômage ?* »

François Hollande : « *Je pense que nous devons inverser la courbe du chômage...*

Claire Chazal : – *À échéance de...*

François Hollande : – *D'ici un an...* »

« *D'ici un an* »... François Hollande vient de com-mettre une faute politique qui pourrait l'empêcher de se représenter. Il a beau avoir réitéré sa promesse à plusieurs reprises, essayé de gagner trois ans en repoussant l'objectif à la fin de l'année 2016, rien n'y a fait. Quatre ans plus tard, près de six cent mille chômeurs de plus pointent à Pôle emploi. Pourtant, lui continue d'y croire, comme il y croit depuis notre première conversation ! Et si c'était ça, la méthode Hollande ? Un mélange de déni et d'optimisme forcené, que nous avons pu constater à chacun de nos rendez-vous, que ce soit sur le chômage ou sur les sondages. En mars 2015, le retournement n'était qu'une question de semaines : « *Je suis optimiste sur l'économie et sur la suite. On est dans une bonne séquence. Je pense que je vais gagner mon pari. J'ai sorti le pays de la crise. Pour des raisons externes et grâce à ce qu'on a amorcé.* » Raté. En janvier 2016, neuf mois et plusieurs dizaines de milliers de chômeurs plus tard, rebelote : « *L'horloge tourne ! Je dois respecter ma parole. Si on regarde les chiffres on peut avoir une lecture optimiste. Quatre-vingt-dix mille chômeurs de plus en 2015, c'est moitié moins qu'en 2014 ! Ce n'est pas encore l'inversion, mais la tendance n'est pas mauvaise.* » Le mois suivant, le chômage bat de nouveaux records avec trente-huit mille neuf cents demandeurs d'emploi de plus en catégorie A.

Le président est également un adepte de la méthode Coué lorsqu'il s'agit de commenter son impopularité. Fin mai 2014, *Le Figaro* interroge les Français sur « le désir de candidature à la présidentielle ». Hollande est crédité de... 3 % ! Rien d'inquiétant pour l'intéressé. Et presque un bon présage ! « *D'accord, je suis à 3 %. Ces fameux "3 %" d'intentions de vote qui m'avaient porté chance à une époque, en l'occurrence, fin 2010, lorsque personne ne croyait à mes chances de succès ! Sérieusement, on est à trois ans de l'élection présidentielle. Les sondages vont se succéder sur les chances des uns et des autres. Je ne sais pas qui gagnera, mais je sais que ceux qu'on annonce vainqueurs aujourd'hui ne seront pas les gagnants en 2017. Je rappelle d'ailleurs qu'un an avant l'élection présidentielle de 2012, quand il y avait des sondages à l'été 2011, en juillet, Le Pen était au second tour. Même avec Strauss-Kahn candidat. »*

En septembre 2015, nous le voyons quelques jours après sa sixième conférence de presse. La plus tendue du quinquennat. Ce chef de l'État, d'habitude si à l'aise dans l'exercice, a laissé filtrer ce jour-là une mauvaise humeur et un agacement qui ne lui ressemblent pas. Est-ce ce fameux retournement qui tarde à venir ? Ces sondages qui ne décollent pas ? L'idée que, malgré sa bonne étoile légendaire, il n'y arrivera pas ? Et si la courbe du chômage ne s'inversait pas ? Ou trop tard ? Et si, trop abîmée par l'amateurisme du début de mandat et les résultats qui se font toujours attendre, sa cote restait à jamais scotchée dans les bas-fonds de l'impopularité ? Un sondage Ifop pour RTL, publié quelques jours avant la conférence de presse, ouvre une nouvelle fois la perspective d'un 21 avril bis au soir du premier tour en 2017. Le président candidat englué à 19 %, derrière Nicolas Sarkozy ou Alain Juppé à 25 %, Marine Le Pen en tête. Pour nous répondre, Hollande retrouve ses accents préférés, ceux du commentateur implacable de la vie politique. Un commentateur optimiste, une fois de plus :

« Vous vous trompez ! Ce sondage, il est déjà meilleur qu'un autre, similaire, publié l'année dernière, qui était abominable. Et malgré tout, il est intéressant. Il n'est pas

positif mais il me donne à 20. Sarkozy est à 25. Le Pen est à 27. Bayrou est à 10/11, les écolos à 3 et Mélenchon à 10/11. Donc, on voit bien comment se dessine la partie. S'il n'y a pas de candidat écologiste, on peut reprendre trois points. Si c'est Juppé le candidat des Républicains, Bayrou ne se présente pas. On récupère alors un peu de ses électeurs. Si c'est Sarkozy, est-ce que Bayrou, candidat, sera si haut ? Une partie de ses électeurs au premier tour se dira : "Est-ce que c'est la peine de voter Bayrou si c'est pour avoir Sarkozy-Le Pen ?" Et vous noterez que lorsque Manuel Valls était mesuré, malgré sa forte popularité, il n'était que deux points au-dessus de moi et que ça ne changeait pas l'équation ! »

Nous sommes parfois restés sans voix devant ces tentatives de prophéties autoréalisatrices ! Mais nous est aussi souvent revenue en mémoire l'histoire de celui que son ami Julien Dray surnomme « le gagnant du Loto ». Seul un homme qui tutoyait les 3 % dans les sondages et qui « ne devait pas être président » peut encore espérer inverser la courbe du chômage et prétendre à un nouveau mandat.

35

« J'ai eu tort ! Je n'ai pas eu de bol ! »

« *Je comprends paradoxalement que ça va être difficile d'inverser la courbe quand le chiffre est bon ! Celui du mois d'octobre* [2013]. *Je suis en déplacement quand j'apprends qu'il y a vingt mille chômeurs de moins. C'est bien ! Mais pour l'inversion, je me dis : "C'est la plus mauvaise nouvelle qui puisse arriver." Parce que ce chiffre est trop bon trop tôt ! Je m'attendais à une hausse en novembre, j'imaginais dix mille chômeurs de plus ; j'aurais dit : "On n'est pas encore à la fin de l'année." Finalement, c'est vingt mille de moins. Trop bon. Je suis déjà échaudé par les moins quarante mille de l'été. C'est la plus mauvaise chronique. D'ailleurs, ça ne manque pas, le mois suivant (décembre 2013) on est à + dix-sept mille. Je reprends mon ardoise : si on avait été à + dix mille à l'été, + quinze mille au mois d'octobre, annoncé en novembre, à ce moment-là, je pouvais avoir deux mois meilleurs en novembre et en décembre. Ça me permettait de finir l'année avec deux mois meilleurs. Les baisses de l'automne arrivent beaucoup trop tôt ! Du coup, je comprends que ça va être difficile d'avoir une inversion de la courbe. L'erreur, c'est d'avoir fixé l'échéance "avant la fin de l'année" comme point d'arrivée. C'est le dernier mois qui compte.*

Sur le plateau du 20 heures de Claire Chazal, j'annonce 20 milliards d'impôts supplémentaires ! On est au mois de septembre. J'ai été élu au mois de mai ! On a déjà des plans sociaux. On en a eu plein la musette au mois de juillet, Peugeot et tant d'autres. L'été a été difficile, l'état de grâce est déjà derrière nous. Je dis que la croissance sera moins forte en 2013 que nous ne l'avions imaginé au moment où nous sommes arrivés aux responsabilités. On est sur 0,7 ou 0,8 et on était partis sur 1,5 %. Je suis là pour demander aux Français des efforts. Il faut bien que je leur donne un objectif. J'ai fait cette annonce de l'inversion de la courbe du chômage parce que je croyais encore que la croissance serait de 0,7/0,8, elle sera finalement de 0,1 ou de 0,2. Puis, je répète cet engagement lors des vœux le 31 décembre 2012.

J'ai eu tort ! Je n'ai pas eu de bol ! En même temps, j'aurais pu gagner. Mais ça n'aurait rien changé parce que les gens sont lucides, ils savent que ce n'est pas sur un mois que ça se joue. Donc, sur l'objectif, Sapin n'est pas du tout responsable. C'est moi. Sapin, lui, fait de cette annonce une obligation. Rétrospectivement, je suis tout à fait reconnaissant, non seulement à Sapin mais aussi à moi-même, d'avoir fixé cet objectif parce que ça a permis de mobiliser. On n'aurait jamais fait cent mille emplois d'avenir, on n'aurait jamais fait autant de contrats aidés, jamais fait autant de formations, même avec une croissance zéro. Je revendique cette méthode. Même si elle est coûteuse politiquement, elle est socialement et peut-être même économiquement bénéfique[1]. »

---

1. Entretien du 1ᵉʳ février 2014.

36

Moi président : ma vie très privée

Après un début de règne parasité par l'explosion du couple Hollande-Trierweiler, cela fait maintenant plusieurs mois que Julie Gayet est installée à l'Élysée. Le couple ne se cache plus. *« Ils s'appellent quatre fois par jour,* témoigne l'ami Julien Dray, *ils reçoivent ensemble à l'Élysée et sortent souvent chez des amis. »* Pas question pour autant pour le président d'officialiser ce qui relève de sa vie privée. Pas de photos autorisées ni de chronique sur l'actrice et le président ! S'il y avait une nouvelle campagne en 2017, François Hollande se présenterait seul. Il l'a théorisé au printemps 2012, à un moment où le couple qu'il formait avec Valérie Trierweiler était en réalité déjà au bord de la rupture.

Le fils aîné du président, l'un des plus fins analystes de la personnalité du chef de l'État, pose un regard encore plus radical sur cette question. Il estime que pour son père l'exercice du pouvoir est incompatible avec tout engagement. *« La rupture avec Valérie, la séparation, ça lui a fait du bien,* raconte Thomas Hollande. *Avec elle, il avait beaucoup de choses à gérer. Or c'est quelqu'un qui a profondément besoin de solitude, d'être seul dans son intimité. Et je pense qu'une des choses qui explique qu'il est bien aujourd'hui dans sa fonction vient de là. Il me l'a dit : "Pour moi, on ne peut pas avoir une vie de couple et être président." Le fait d'être seul crée pour lui quelque chose d'extrêmement libérateur*[1]. »

Pourtant, en privé, l'intéressé lui-même l'assume : il entretient une relation avec la comédienne. Mais la non-officialisation de leur relation fait qu'il n'y a pas de première dame. Elle ne le réclame d'ailleurs pas. Elle n'en a pas besoin pour se définir. « *Il n'y a pas de pression, pas d'obligation,* poursuit Thomas Hollande. *Il n'a pas de comptes à rendre, pas quelqu'un dont il doit s'occuper. Il ne veut plus de contraintes autres que celles de sa fonction. Au début de son quinquennat, il s'est imposé une situation qu'il subissait. Dans laquelle il ne pouvait pas être pleinement président. Dans les voyages officiels, au-delà de la personnalité de Valérie, il devait gérer énormément de contraintes liées au programme de la première dame. Lui souhaitait se consacrer pleinement à la politique et on le ramenait sans arrêt à ce qu'elle faisait.* » Une période désormais oubliée. En 2012, François Hollande candidat était convaincu qu'un futur président ne pouvait se présenter seul devant les Français. Pour 2017, il s'est convaincu du contraire. « *Il ne sera pas un président en couple qui fait campagne,* confirme son fils. *S'il devait l'être, ce sera par lâcheté parce qu'il se le ferait imposer. Je ne dis pas que ça n'arrivera pas, mais ce serait par faiblesse. Ce célibat revendiqué, il en fera même un axe de campagne : "Moi*

---

1. Entretien avec les auteurs, le 6 mai 2015.

je suis dédié totalement à la fonction. Je suis totalement consacré à ma mission[1]. »

Quelques semaines plus tard, au mont Valérien. En ce 18 juin, on célèbre comme chaque année l'appel du général de Gaulle. Une jeune femme blonde vêtue d'une robe noire pousse le fauteuil roulant d'un vieux monsieur et gagne l'estrade réservée aux anciens résistants et à leurs familles. Le vieil homme, c'est Alain Gayet, Compagnon de la Libération. La jeune femme, c'est sa petite-fille, Julie, qui a tenu à l'accompagner à cette cérémonie officielle. Le président n'est pas encore arrivé mais déjà ses équipes sont assaillies d'appels des journalistes. Assiste-t-on à l'officialisation de la relation entre l'actrice et lui ? Le service de presse de l'Élysée ne sait que répondre, et pour cause ! François Hollande n'a informé personne de son équipe de la venue de Julie Gayet ! Pourquoi l'aurait-il fait puisqu'officiellement rien ne les lie ? D'ailleurs, quand il parle de celle qui partage sa vie, ça commence ainsi : « *Julie Gayet m'avait prévenu depuis longtemps. Elle m'avait dit que ce serait sans doute le dernier 18 juin de son grand-père et qu'elle souhaitait se rendre avec sa famille au mont Valérien. Je ne m'y suis pas opposé. Il était hors de question qu'elle m'accompagne. Mais qu'elle s'y rende avec sa famille, son grand-père, c'est son droit, c'est sa liberté. Moi j'y allais en tant que président de la République. Si elle n'avait eu aucun rapport avec ces cérémonies, c'eût tout de même été étrange, mais à partir du moment où les familles, enfants, petits-enfants des dix-sept derniers Compagnons de la Libération sont présents, c'était*

---

1. Entretien avec les auteurs, le 6 mai 2015.

son droit. Mais ça ne change rien, il n'y a pas d'"officia-lisation". »

François Hollande a beau être le président dont la vie privée a été la plus médiatisée, il refuse de déroger à la règle qu'il s'est fixée depuis son arrivée à l'Élysée : ne jamais donner le sentiment de mettre en scène sa vie intime. Avec tous les risques que cela comporte. 2012 n'est pas 1981, Hollande n'est pas Mitterrand, et la presse française a laissé de côté sa pudeur légendaire pour se transformer par moments en tabloïds anglo-saxons. Puisque le président se refuse à officialiser sa relation, ce sont les paparazzis qui le font pour lui.

Quelques mois avant la scène du mont Valérien, le magazine *Voici* faisait sa une sur les premières photos du couple Hollande-Gayet. Le couple est assis à une table de jardin sur la terrasse de l'Élysée. Moins d'un an après les révélations de *Closer*, le président doit encaisser la publication d'un nouveau tableau de son intimité. Facteur aggravant pour le chef de l'État, ces photos volées ont été prises de l'intérieur du palais. Dans les semaines qui suivent, quatre membres du personnel de l'intendance des appartements privés du président – d'où les photos ont vraisemblablement été prises – sont réaffectés à d'autres postes.

37

« À l'Élysée, il y a une forme
de surveillance qui me dérange »

« La photo ? Ce n'est pas un chapitre de "vie privée", c'est un chapitre de "vie interne" à l'Élysée. La logique aurait été, comme ça s'était fait sous Chirac, comme ça s'était fait sous Sarkozy, de changer le personnel du palais puisque, en l'occurrence, Sarkozy était venu avec ceux qui étaient déjà avec lui au ministère de l'Intérieur. Quatre employés sur les cinq affectés à l'aile privée du palais venaient du ministère de l'Intérieur sous Sarkozy... Mais je ne suis pas sûr que ça vienne d'eux, je ne veux pas les incriminer sans preuve. Ce dont je suis sûr, en revanche, c'est que c'est passé par l'agence d'un photographe proche de Carla Bruni. Ce qui est choquant, c'est aussi ce que cela traduit du fonctionnement interne à l'Élysée : il y a une forme de surveillance qui me dérange. Le plus grave n'est pas tant que quelqu'un prenne une photo, c'est qu'il la prenne pour la vendre et me nuire. Quand des copies des pages de mon agenda privé sont sorties dans la presse, c'était la même question. Le problème n'était pas tant que les journalistes aient eu accès à l'Élysée, mais qu'un membre du personnel leur ait donné le papier officiel avec l'en-tête ! C'est quand même troublant qu'il y ait là des personnes qui ont été

recrutées par Nicolas Sarkozy et qui soient dans cette forme de défiance et de faute morale.

Je suis très prudent, voire très réticent à toute forme d'officialisation de ma vie privée. Il faut faire attention : l'affichage a des conséquences. L'affichage, d'une certaine manière, pourrait clore un chapitre. Mais ça en ouvre un autre. J'ai pensé qu'il fallait un temps entre la séparation [avec Valérie Trierweiler] et l'officialisation [avec Julie Gayet]. Parce que l'impression qui pouvait être donnée c'était : "François Hollande s'occupe de sa vie privée et ne s'occupe pas de la vie du pays." Ce qui serait d'ailleurs une critique tout à fait légitime.

La question que vous posez c'est : est-ce que c'est bien de renvoyer aux Français l'image d'un homme seul ? Sarkozy, lui, avait répondu à la question en allant jusqu'au bout de la logique, jusqu'au mariage. Et on voit bien d'ailleurs que c'est presque une affaire de couple désormais, Carla Bruni est très mobilisée. Est-ce que c'est bon, est-ce que c'est mauvais ? On verra...

Le mariage ? Je n'y suis pas opposé par principe, mais j'arrive à un âge où ça devient moins probable. Mais c'est possible, oui... »

38

Moi président : stop ou encore ?

Nos entretiens ont débuté un an presque jour pour jour après son arrivée à l'Élysée. Soit quatre ans presque jour pour jour avant la fin de son mandat et avant le deuxième tour de la prochaine présidentielle. Le temps. C'est la faiblesse principale du règne et le défaut majeur des commentateurs. À peine commencé, journalistes et hommes politiques se projettent déjà dans la bataille d'après. Nous n'avons pas échappé à la règle. Depuis notre première conversation, nous avons toujours évoqué la suite, la durée du règne, la réélection. Cela n'a jamais été un sujet tabou. Le président s'est à chaque fois prêté au jeu. Dès le mois de mars 2015, il nous parlait de sa vie quotidienne au Château et des contraintes. « *Je n'en ai pas marre du pouvoir. Mais cette vie... Ce qui est pénible, c'est vous, c'est la presse. Chaque jour est un combat. Ce qui est pénible, c'est qu'il y a une partie de la France qui va se relever et une partie qui glisse. Mais je suis programmé pour sept ans encore. Ça peut s'arrêter, je l'intègre, mais ça m'incite à aller plus vite.* »

Lors de la rencontre suivante, début mai 2015, c'est

un François Hollande sûr de lui comme jamais qui s'était présenté. Sûr de ses capacités, satisfait de son bilan, il avait réfléchi à voix haute sur sa fonction. Nicolas Sarkozy a reconnu qu'il fallait trois ans pour devenir pleinement chef de l'État. Même constat pour son successeur. « *J'arrive au terme de la troisième année du quinquennat. Ce que je ressens, c'est que c'est le moment où le président est en pleine possession de ses moyens. Il y a eu un temps où les sujets vous agressent, vous prennent. Ensuite, il y a un temps de compréhension pour s'emparer de l'environnement mondial, européen. Un temps pour nouer des partenariats, des relations. Et puis il y a, au bout de trois ans, une expérience acquise et une reconnaissance de ce qui a été accompli tant au niveau international que sur le plan national.*

Les attentats du mois de janvier ont été un moment malheureusement révélateur. Si on a pu les gérer, c'est parce qu'on a une expérience de la machine d'État. Imaginons que les attentats se soient produits le 11 janvier 2013, ce n'aurait pas été la même chose. Aujourd'hui, c'est le moment où je suis à mon meilleur. C'est comme dans une course. Au début, vous êtes trop rapide, trop lent, vous cherchez le rythme. Vous avez un moment de doute, de fatigue et avant le sprint final, il faut trouver le bon rythme pour pouvoir être porté.

Trois ans, c'est le moment où vous tirez les dividendes d'une politique étrangère. Il faut du temps. Au départ les gens vous jaugent : "Qu'est-ce qu'il va faire ? Le Mali, ça peut être un coup. La Centrafrique ? Puis la Syrie… est-ce que tout cela a bien une logique ?" Désormais, je me suis installé comme étant à l'initiative dans beaucoup de domaines. Et ça a des retombées positives en termes de recon-

naissance de la diplomatie française. Y compris sur un plan économique, même si ce n'est pas fait pour ça. Les pays arabes se disent : "Hollande, on le connaît, Hollande, il est fiable : on l'a jugé par rapport à l'Iran, par rapport à la Syrie. Si ce n'est plus lui, que va-t-il se passer ?" Le Pen fait peur. Sarkozy ? Ils le connaissent. Dans une campagne présidentielle, je peux dire : "Vous voyez, cette politique extérieure nous a ramené des bienfaits pour le pays." La vente des Rafale par exemple. Il ne faut pas en faire une caricature, mais c'est un symbole. Enfin, sur le plan intérieur, c'est vrai que sur les deux premières années on pouvait se dire : "C'est quoi, Hollande ?" Le mariage pour tous, les hausses d'impôt, et puis deux trois réformes sur l'éducation, le logement. Mais désormais, il y a un bilan qui commence à prendre forme.

Ce qui est terrible, c'est de faire un mandat présidentiel dont il ne reste rien. Sauf une bonne image, dans le meilleur des cas. Ce serait terrible. Se dire : "J'étais là, j'ai occupé la fonction. Mais qu'est-ce que l'Histoire retiendra ?" Moi j'ai réglé cette question : le Mali, la réponse aux attentats de janvier, le mariage pour tous, la loi Macron… Une fois qu'on a réglé cette question, on peut tout faire pour poursuivre mais en même temps ce n'est pas un drame si ça s'arrête. Le drame c'est quand vous laissez la place et que vos traces sur le sable s'effacent elles-mêmes. »

Il est encore trop tôt pour savoir quelles traces laissera François Hollande dans le sable de la vie politique française. Trop tôt également pour savoir si les Français lui permettront de solliciter une seconde chance. Mais en son for intérieur, ce président impopulaire qui n'est pas épargné par les coups a déjà tranché : il fera tout pour passer cinq années supplémentaires à l'Élysée. «*Je sais ce que ça représente sur le plan personnel. Notamment lorsqu'il s'agit de la dernière partie de son existence. À partir de soixante ans, les années comptent différemment. Vous entrez dans un autre temps. Je sais aussi ce qu'est la lourdeur de cette tâche. C'est vrai que ça pourrait être une sorte de libération de ne plus être là… À présent, je peux regarder en face ces années ici. Des années passées sans vie personnelle comme chacun peut l'avoir. Je sais ce que ça représente… Mais l'envie, je l'ai. C'est mon inclination personnelle. Reste la question politique. Je ne ferai pas de choix de candidature si, d'évidence, elle ne pouvait pas se traduire par une possibilité de victoire.*» Téméraire mais pas kamikaze. Pour la première fois, François Hollande nous le dit ce jour-là : il n'ira pas au combat s'il sent, au début de l'automne 2016, que le match est perdu d'avance. Quelques mois plus tard, au milieu du mois de juillet 2015, il fixe lui-même les conditions d'une nouvelle candidature : «*Il y a une condition pour se représenter : être capable d'apparaître aux yeux des électeurs comme "nouveau". Je veux parler là du projet et de la promesse d'un nouveau mandat. Les Français n'ont pas envie du "retour" : c'est la difficulté à laquelle se heurte Sarkozy. Ils n'ont pas envie non plus de la "répétition" : c'est le duel Sarkozy/Hollande qui n'est pas souhaité. Ils n'ont pas envie enfin de la "reproduction" : on ne fait pas encore pendant cinq ans ce que l'on a déjà accompli pendant cinq ans. Ce que les Français attendent c'est du "neuf". Du neuf avec des vieux, pourquoi pas ? C'est ce qu'espère Juppé. Peut-être du neuf avec le même ! Du neuf avec l'ancien, pourquoi pas ? Du neuf avec Le Pen ? C'est son atout. C'est du neuf ! Du neuf avec une politique du temps jadis, les thèses les pires. Donc il faut* trouver du neuf. Et ça vaut surtout pour moi parce que je suis en position de sortant. Si c'est pour dire : "On a bien travaillé pendant cinq ans et on va faire la même chose cinq ans de plus", ça ne marchera pas. Les gens n'en voudront pas. Ils veulent un nouveau temps, une nouvelle période, un nouveau thème. »

39

Exemplaires ?

François Hollande s'est toujours méfié de Jérôme Cahuzac. L'homme représente l'inverse de ce que le président veut incarner. Attiré par l'argent, partisan d'une forme de gauche décomplexée qui aime mener grand train et qui n'hésite pas à jouer de ses réseaux d'influence pour faire prospérer ses affaires.

Pendant la campagne présidentielle, il prend en charge les questions budgétaires. Il a parfois du mal à suivre la pensée d'un candidat qui construit son programme économique au fil de ses intuitions et qui improvise souvent sans avertir son entourage. Lorsqu'au soir d'une émission devant des Français sur TF1, François Hollande invente la taxe à 75 % pour les revenus excédant un million d'euros annuel, Jérôme Cahuzac est sur le point d'entrer sur le plateau d'une émission télé de deuxième partie de soirée sur France 2. Il panique. Quelques minutes avant l'antenne, il envoie un texto à Manuel Valls. *« C'est quoi les 75 % ? Je ne suis pas au courant ! Comment je défends ça ? »* Réponse de celui qui est alors directeur de la communication du candidat : *« Tu te démerdes.* » Le futur ministre, déjà hostile sur le fond à une telle mesure, s'emmêle les pinceaux lorsqu'il est interrogé par Yves Calvi : « *Vous m'interrogez sur une déclaration que je n'ai pas entendue. Vous me permettrez d'être plus circonspect que vous ne semblez l'être, j'attends de voir ce qu'il en est vraiment.* » Propos improvisés et malhabiles. Première incompréhension entre le futur président et celui qui s'installera au cinquième étage à Bercy.

Au moment de composer son gouvernement, c'est d'ailleurs Jean-Marc Ayrault qui tient à confier le ministère du Budget à Jérôme Cahuzac. Même s'il omet de le rappeler, François Hollande doute déjà de celui qui sera le boulet numéro 1 de sa première année de quinquennat. Il ne sait pas encore pour les comptes en Suisse ou à Singapour mais il se méfie. Thomas Hollande, son fils, se souvient. « *Cahuzac ? François ne le sentait pas depuis le début. Il m'en avait parlé pendant la campagne, lorsqu'on évoquait la suite. Contrairement à ce que l'on prétend aujourd'hui, il y avait déjà des rumeurs sur sa fortune, son rapport à l'argent et au monde des affaires.* » François Hollande est un intuitif de la politique. Cela explique souvent ses décisions prises au dernier moment, seul, à la surprise de ses plus proches collaborateurs. « *Mais sur Cahuzac, précisément,* analyse Thomas Hollande, *il n'a pas suivi son intuition. Il a cédé à Jean-Marc Ayrault. Il a lâché en se disant : "ça fait un emmerdement en moins".* »

Le même mécanisme se reproduira quelques mois plus tard lors de la nomination à la tête du CSA d'Olivier Schrameck, ancien directeur de cabinet de

Lionel Jospin à Matignon. François Hollande déteste Schrameck. Il en garde le souvenir d'un directeur de cabinet tout-puissant qui faisait barrage entre Lionel Jospin et lui, alors premier secrétaire du PS. Dix ans plus tard, il n'a pas changé d'avis. *« Il déteste toujours Schrameck,* affirme un ami intime du président. *Mais Lionel Jospin est venu le voir. Il a insisté. »* Alors, comme pour Cahuzac avec Ayrault, Hollande cède et commet une erreur. Cela causera en réalité… un emmerdement de plus, avec une polémique sur la « République des copains » dont se serait bien passé l'Élysée.

À l'hiver 2012, dans les semaines qui suivent les révélations de Mediapart, le président évoque l'affaire Cahuzac à plusieurs reprises avec deux hommes : Jean-Pierre Mignard, son ami intime et avocat de Mediapart, et son fils Thomas. Tous les trois s'interrogent. Comment ne pas se faire piéger par cette affaire ? Qui croire ? Comment interpréter les éléments publiés par les hommes d'Edwy Plenel ? Pour en avoir le cœur net, le président décide d'aller directement à la source. Il prend son téléphone et appelle le directeur du site d'information. Les deux hommes se connaissent bien et se tutoient. Ils ont même écrit ensemble un livre d'entretiens au titre prophétique, *Devoirs de vérité. « Qu'est-ce que tu as précisément ? »* tente le président. Le journaliste reste prudent mais évoque l'enregistrement d'une conversation dans laquelle on entend Jérôme Cahuzac parler d'un compte en Suisse. L'enregistrement est de mauvaise qualité, la voix n'est pas encore authentifiée… *« On l'entend mal mais c'est bien lui »,*

lui assure en substance le patron de Mediapart. Pour Hollande, cela ne suffit pas. *« Je n'ai rien, pas d'éléments solides »*, confie-t-il alors à son fils. L'affaire explosera quelques semaines après ce coup de téléphone et viendra mettre à mal la « gauche morale » dont François Hollande s'était fait le chantre.

40

« Ça m'a fait mal, parce que
ce n'était pas prévisible »

« *Cahuzac, je l'avais perdu de vue avant qu'il ne redevienne député en 2007. Je retrouve un homme plus apaisé, plus maîtrisé. Il devient président de la commission des finances dont je suis membre, je le vois travailler. J'ai d'ailleurs fait en sorte qu'il puisse être nommé président de la commission. Dans la précampagne, il soutient Strauss-Kahn. Il me le dit. Il n'est pas le seul !* [Rires] *Puis quand Strauss-Kahn s'effondre, il met quelques jours, mais il vient vers moi. Je le prends dans l'équipe de campagne sur ses sujets. On gagne. Vraiment, je pensais que c'était le meilleur au poste considéré. Après, est-ce que j'avais entendu parler d'histoires le concernant ?* [Silence] *De la période où il était conseiller auprès de Claude Évin... Non, rien.*

Il se trouve qu'avec Ségolène, on habitait pendant un temps dans le 7ᵉ arrondissement et que Cahuzac n'habitait pas loin. Je le voyais vivre. Je connaissais l'endroit où il habitait. Sa fille faisait des études de médecine avec la mienne. Je n'avais pas le sentiment qu'il évoluait dans une sphère éloignée de la mienne. Donc, non, je n'ai pas eu d'interrogation de probité. J'ai eu davantage d'interrogations sur son fonctionnement personnel. Un type brutal,

206

compliqué avec certains ministres, qui s'en sont plaints : Aurélie Filippetti notamment.

Mais je dois dire que la presse a plutôt salué sa nomination, disant que c'était l'un des meilleurs, et c'est objectivement vrai. Dès le début du mandat, il est très bon dans le débat parlementaire, il fait la loi de finances. S'il y avait quelques reproches à lui faire, et je les lui faisais d'ailleurs, c'était les fuites. Il avait une fille de chez Euro RSCG dans son cabinet, que j'avais repérée. Je lui avais dit de se méfier d'Euro RSCG. Je lui avais demandé pourquoi il l'avait recrutée, ce qu'il faisait avec elle. Il m'avait dit qu'il la connaissait bien, que c'était une bonne collaboratrice, de confiance. En même temps, on ne peut pas dire qu'untel est forcément mauvais parce qu'il a travaillé à Euro RSCG. Sinon Aquilino Morelle ne serait pas ici par exemple... [Aquilino Morelle, conseiller en charge, à l'époque, de la communication à l'Élysée, qui finira par ternir, lui aussi, l'image de moralité du quinquennat.]

La première fois que Cahuzac me parle de l'"affaire", c'est à la suite d'un rendez-vous qu'il a eu avec Mediapart. J'en ai un souvenir très précis. Je suis à l'inauguration du musée du Louvre Lens, je reprends le train pour rentrer à Paris, et mon téléphone sonne : "Mediapart prépare un papier dans lequel ils prétendent que j'aurais un compte en Suisse." Je lui dis : de deux choses l'une, soit c'est vrai, dans ce cas-là tu sors rapidement, soit c'est faux et tu organises ta défense. Il me répond que ce n'est pas vrai, que c'est un montage. Et puis je le vois dans ce bureau quelques jours plus tard. Il me répète qu'il n'a jamais eu de comptes en Suisse. À chaque fois qu'il y avait de nouveaux éléments de procédure, il rappelait son innocence.

Sur cette première année, l'histoire Cahuzac est celle qui

207

m'a fait le plus mal. Non pas tant pour l'acte lui-même, déjà très grave, mais pour ce que ça représente pour la vie politique, la conception qui est la mienne. Donc, oui, ça m'a fait mal. Je ne parle pas des semaines où il était encore au gouvernement et où il y avait une enquête. Je parle des aveux. Ça m'a fait mal, parce que ce n'était pas prévisible. »

41

Le cireur de pompes

« *Le discours du Bourget ? Aquilino n'en a jamais écrit une ligne !* » Trois jours après la démission de son conseiller politique, François Hollande se charge de l'oraison funèbre. Son seul bénéfice, à entendre le président, est « *d'avoir été utile pour rallier Montebourg pendant la primaire* ». Le conseiller démissionné, soupçonné de conflit d'intérêts dans le cadre de ses fonctions passées à l'Inspection générale des affaires sociales (Igas), est surtout coupable, aux yeux du président, d'un comportement pour le moins léger. Dans l'enquête fouillée publiée par Mediapart, on apprend que le conseiller politique du président a, à deux reprises, privatisé un salon tout en dorures de l'hôtel Marigny pour s'y faire cirer les chaussures en toute discrétion ! « *Un président ou un de ses ministres a de la boue sur ses chaussures, il peut faire venir quelqu'un. Sarko avait un coiffeur ici à l'Élysée, moi aussi, on fait attention à ma coiffure. Mais un conseiller !? On s'en fout de ses chaussures !* » s'emporte le chef de l'État.

« *Il avait tout du parvenu qui se brûle les ailes* », commente un vieux député socialiste. Une faute impardonnable pour François Hollande. *« Même s'il payait son cireur de chaussures, Aquilino a perdu de vue que la gauche doit être exemplaire dans son comportement, la gauche doit être plus regardante ! »* Le président n'a pas eu le moindre doute lorsque son conseiller politique lui a relaté les griefs de l'enquête de Mediapart à son encontre. Le pouce n'a pas tremblé. *« Tu as eu des contrats de prestation chez des laboratoires, même si c'est pour des sommes modestes, si tu n'en as pas averti le chef de l'Igas, tu ne tiendras pas*, prévient le président. *Tu dois répondre. »* *« Je vais dire que je ne m'en rappelle pas »*, plaide Aquilino Morelle. *« Comment a-t-il pu croire que ça passerait ? Les gens de l'Igas sont sérieux »*, commente froidement François Hollande quelques jours après. La page est déjà tournée. Celle d'un « parvenu » que personne ne regrettera au palais.

« Le grand jeu de Morelle ? C'est de cibler quelqu'un pendant une réunion ou devant témoin pour le briser », témoigne l'un des conseillers en communication de l'Élysée. *« Colérique, hautain, arrogant »*, le portrait tourne au réquisitoire. Toutes les semaines, le chef du pôle communication de la présidence réunit ses collaborateurs. Que l'un soit porté pâle, il essuie les humiliations du patron. *« Ripert ? Qu'elle aille faire sa psychothérapie et qu'elle nous foute la paix ! »*, lance-t-il un matin à l'intention de la conseillère presse du pôle diplomatique. Même le président n'est pas épargné, lorsqu'il est, par exemple, jugé coupable de ne pas rendre ses arbitrages au bon rythme selon Aquilino Morelle, qui utilise alors un

vocabulaire effarant : « *Tant pis si l'autre connard met trop de temps à valider ce qui a été décidé !* » Dans son grand bureau d'angle au premier étage de l'Élysée, le conseiller se croit tout permis. Il finira par le payer au prix fort.

42

L'aficionado

« *Le seul fautif c'est moi.* » Manuel Valls avoue. Attablé avec une trentaine de journalistes et d'éditorialistes dans un grand salon de l'hôtel Matignon, le premier ministre revient sur son escapade en Falcon à Berlin pour assister à la finale de la Champions League remportée par son club de cœur, Barcelone. « *Je n'ai pas mesuré tous les paramètres, j'ai voulu me faire plaisir et faire plaisir à mes deux gamins* », reconnaît-il. On imagine ce que ce mea culpa de fin de repas coûte à ce premier ministre plus habitué à l'offensive qu'à la retraite. Son erreur : avoir fait un bref aller-retour ce week-end du 6-7 juin 2015 entre Poitiers – où se tient le congrès du PS – et Berlin, à bord d'un Falcon de la République française, pour aller assister à un match de prestige.

Le congrès des socialistes à Poitiers ne présente pas de risques particuliers pour le gouvernement. La majorité est assurée. Un week-end relativement calme dont Manuel Valls veut profiter pour caresser dans le sens du poil des militants qu'il a davantage l'habitude de rudoyer. En bon chef de la majorité, il a annoncé son intention d'être présent « *les deux jours* » de la grand-messe PS. Alors qu'il monte à la tribune pour galvaniser ses camarades, une rumeur se répand parmi les journalistes : Manuel Valls va s'éclipser pour aller assister à la finale, à Berlin. Plusieurs militants socialistes ont déjà vendu la mèche sur Twitter. Après les ovations de la salle, les premières vagues de la polémique apparaissent à l'horizon. Mais le premier ministre assume : « *J'y vais parce que Michel Platini m'a invité. Il a invité un supporteur du Barça.* » Puis s'envole. Manuel Valls pourra bien mentionner une réunion de travail en marge du match avec Michel Platini pour évoquer l'Euro en France, l'année suivante, l'opposition se déchaîne en s'appuyant sur la chronique que la presse fait de ce périple. Non seulement le déplacement ne figurait pas à l'agenda officiel, comme un péché mignon que l'on préfère dissimuler, mais on apprend que le premier ministre a fait profiter du voyage en Falcon à deux de ses fils.

Maladie bien française, le premier ministre rechigne dans un premier temps au mea culpa et va jusqu'à justifier son déplacement dans l'intérêt du pays : « *Le rôle du chef du gouvernement est de soutenir les grands rendez-vous pour la France* [comme l'Euro 2016]. » Il finira par battre en retraite et annoncera son intention de rembourser le prix des billets d'avion de ses enfants à hauteur de 2 500 euros. Du point de vue de la morale publique, c'est la première fois que Manuel Valls sort de la ligne. Une ligne très chère au président de la République, qui veut faire de « *l'exemplarité* » la marque de son quinquennat.

43

« À sa place, je n'aurais pas
fait le déplacement »

« À sa place, je n'aurais pas fait le déplacement. Mais je vois comment ça peut arriver. Une invitation, on se dit : "Pourquoi ne pas l'accepter", et ça prend un tour différent. Il faut faire attention. Je me sais observé en permanence, donc je fais très attention. Le premier ministre est moins surveillé, il est vrai. Fillon prenait bien un Falcon pour rejoindre sa circonscription dans la Sarthe.

Quand il y a une polémique de ce type, c'est dur, psychologiquement. Parce que c'est sans fin. Le déplacement à Berlin en Falcon se passe un samedi soir et Valls ne parvient à éteindre la polémique que le samedi suivant à La Réunion quand il annonce qu'il rembourse les billets d'avion de ses enfants. Une semaine ! Une semaine à avoir l'actualité sur ce sujet ! Même s'il n'y a pas de séquelles en termes de rapport à l'opinion, c'est quand même très difficile à vivre, notamment quand ça entraîne la famille. J'ai senti que Manuel avait souffert. D'autant plus que c'est arrivé à un moment où il a été attaqué sur sa vie personnelle. Je ne prête pas du tout attention à ça, mais ce qui m'a été dit, c'est qu'il y avait des rumeurs qui couraient sur sa vie personnelle – rumeurs qui n'étaient pas fondées par ailleurs. Tout cela s'est additionné et c'est vrai que ça faisait beaucoup.

Il a deux manières de se sortir d'une telle situation. Soit il ne fait plus rien – et ce n'est pas sa nature –, soit il en rajoute, il est dans une suractivité. Le fait est qu'il s'est tenu en retrait pendant un temps avant de repartir. Il s'est mis en avant au Parlement sur la crise grecque, il a fait deux interventions. Il s'apprête à faire une tournée dans les festivals d'été. Mais c'est vrai qu'il en a subi plus que ce que l'on pourrait croire.

Indéniablement, il y a eu erreur. L'erreur ce n'est pas d'aller voir le match. L'erreur, c'est de revenir au congrès du PS. C'est bizarre. Faire l'aller-retour entre le congrès et Berlin. Il aurait dû dire : "Je vais au congrès du PS, puis ensuite je vais à Berlin parce que j'ai un rendez-vous avec Platini, c'est légitime, et sans doute aurai-je le lendemain un déplacement à Berlin." Personne n'aurait rien trouvé à redire. Il y a aussi la question de la présence des enfants, même si cela n'occasionnait pas de coût supplémentaire. Dès qu'il y a la famille, les gens pensent qu'il y a un avantage. C'est ainsi. Je pense que ses conseillers ont essayé de le dissuader d'y aller. En vain. Ce genre de faute peut arriver. Le sport, l'envie d'aller voir son équipe favorite, ses enfants. Mais il faut faire attention. Il faut être conscient que, pour les Français, il faut être exemplaire. »

44

Bye bye Sarkozy

Le 7 mai 2012 au soir, le président élu sort dîner discrètement dans le 11e arrondissement de Paris. Passage de la Main-d'Or. C'est là que vit son fils Thomas. Ce soir-là, les quatre enfants du couple Hollande-Royal célèbrent dans l'intimité la victoire. Et s'inquiètent déjà des bouleversements annoncés. Le premier conseil de famille doit trancher une délicate question : quelle place les enfants doivent-ils avoir dans la cérémonie de passation de pouvoir à l'Élysée ? Obsédé par le contre-modèle qu'incarne son prédécesseur, Hollande a en mémoire la mise en scène quasi monarchique de la famille Sarkozy en 2007. Dans l'esprit du nouveau président, l'arrivée sur le tapis rouge de Cécilia et de ses enfants, s'attardant longuement devant les photographes façon festival de Cannes, est l'une des premières fautes du règne précédent. Celui du mélange des genres et de la peopolisation à laquelle il espère naïvement échapper. « *On a conclu qu'il fallait faire exactement l'inverse, raconte Thomas Hollande, mais notre père ne voulait pas nous l'imposer, il fallait que l'on décide ensemble*[1]. » Les enfants regarderont leur père à la télévision.

Prendre le contre-pied de son prédécesseur, ce sera le leitmotiv de François Hollande au début du quinquennat, presque une obsession, quitte à commettre des erreurs. Il finira par reconnaître lui-même que l'annulation de la hausse de la TVA était une faute du début de mandat. Le socialiste en est pleinement conscient : il a certes été élu le 6 mai, mais c'est surtout Sarkozy qui a été battu. C'était d'ailleurs le pari de celui qui se présentait comme un « *homme normal* » face à ce président jugé « *anormal* ». Entre ces deux hommes qui se connaissent depuis bientôt trente ans, qui sont entrés le même jour à l'Assemblée nationale, le combat a parfois été violent, en 2012. Nicolas Sarkozy n'a jamais cru en celui qu'il surnommait en petit comité pendant la campagne « François le petit ». À juste titre, Hollande a toujours eu le sentiment d'être méprisé par le président sortant. Il s'en était ouvert devant nous quelques semaines avant le premier tour de la présidentielle. *« Depuis le départ, Sarkozy pense qu'il est le meilleur. Par rapport à tout le monde. Parce que son moteur est celui-là. Cela lui vient d'avoir eu à surmonter un certain nombre de contraintes. Il n'était pas bon élève en classe, pas non plus un Apollon, et donc il a fallu qu'il lutte. Et finalement, il est maire très jeune, député assez jeune – comme moi –, et ministre, jeune. Dans ce paysage, mes qualités, de son point de vue, sont des défauts. Il pense qu'être "normal" est un défaut. Il considère qu'il ne faut surtout pas être normal. Lui est dans la*

---

1. Entretien avec les auteurs, le 13 mars 2014.

brutalité, pas du tout dans l'harmonie [...]. Moi je ne fais pas de tacles par-derrière quand lui pense en permanence : Je vais lui défoncer les dents[1]. » L'inimitié entre les deux hommes se traduira le jour de la passation de pouvoir par un geste de Hollande que Sarkozy n'a toujours pas digéré. Debout sur le perron, le président élu regarde son prédécesseur et sa femme quitter l'Élysée et tourne les talons sans attendre leur départ. Depuis ce jour-là, tous les deux semblent attendre la revanche avec impatience.

---

1. Entretien avec les auteurs le 17 février 2012.

45

« *Ce n'est pas exactement Berlusconi, mais il n'en est pas si éloigné* »

« *Est-ce que, dès le soir de sa défaite, Sarkozy a eu l'idée de se représenter ? Ma réponse est oui ! Le jour de la passation de pouvoir, il me dit : "Vous savez je vais prendre du recul, ça fait longtemps…" Mais il ne me dit pas que c'est définitif. "J'en ai pris beaucoup sur le crâne, me dit-il, aussi bien sur le plan politique que sur le plan personnel, ça a été très dur. J'ai besoin de prendre un peu de distance." Mais il ne me dit pas : "Vous n'entendrez plus jamais parler de moi !" Ce serait donc lui faire un mauvais procès que de dire : "Il avait dit qu'il arrêtait la vie politique et il revient."*

Je pense que Nicolas Sarkozy a conçu un retour qui s'est accéléré pour plusieurs raisons. La première, c'est, comme il l'a dit lui-même, "ils sont nuls". Deuxièmement, il y a un côté homme providentiel. Enfin, il y a les affaires qui l'obligent à revenir. Et notamment l'histoire intéressante du Conseil constitutionnel, qui confirme l'invalidation de ses comptes de campagne. C'est lui qui a fait un recours devant le Conseil constitutionnel dont il est membre ! La commission des comptes de campagne avait invalidé ses comptes et il s'est alors tourné vers le Conseil constitutionnel. À l'arrivée,

219

c'est une sanction morale qui lui tombe dessus avant même d'être une sanction financière !

Un ancien président de la République est condamné par le Conseil constitutionnel dont il est lui-même membre, composé aux quatre cinquièmes de gens de droite ! C'est un petit choc. Donc la seule façon pour lui de dépasser cette humiliation, c'est de partir à l'offensive. Comme il l'a fait sur Bettencourt. Mais là, en disant : "On veut m'empêcher ! Et je vais sauver mon propre parti." C'est intéressant le discours qu'il prononce quand il va devant les cadres de l'UMP [en juillet 2013]. On pourrait penser qu'il lance un appel aux dons ? Pas du tout ! C'est un discours dans lequel il dit : "Voilà ce que devraient être les principaux points d'un discours de président de l'UMP." C'est un discours d'orientation politique qui marque bien son retour. Et plus il sera attaqué par la justice, plus il sera encouragé à revenir. Mais ce n'est pas un problème pour moi, c'est un problème pour son camp.

S'il est condamné, il dira que ce sont des juges partisans, mobilisés ou instrumentalisés par la gauche, avec "une cellule Le Foll" ou je ne sais qui, ici, qui en serait l'inspirateur. Et il dira que c'est "politique". Ce n'est pas exactement Berlusconi, mais il n'en est pas si éloigné. À partir de là, quelle sera sa stratégie ? Je pense qu'il est encore en hésitation. Soit il est sur la thématique "Buisson" : "Je me déporte à droite." Dans cette stratégie, il pense qu'il y a une conjugaison possible entre ce qu'a porté le mouvement anti-mariage pour tous – électorat traditionnel, la droite catholique qui refuse le métissage, la confusion des genres, la modernité – et l'électorat populaire anti-européen, anticrise. L'axe, c'est de dire : si un leader de droite – et lui seul en est capable – peut faire la jonction entre ces deux électorats, alors il a gagné. C'est un peu ce qu'il a essayé de faire à la présidentielle. Mais il y a une deuxième stratégie possible, qu'il nourrit encore, qui est de dire : le FN va faire un gros score, la gauche peut être battue et donc "je suis le seul capable de sauver la République".

Ça reflète bien ce qu'est Sarkozy. Il n'a pas de colonne vertébrale, donc il peut aller de tous les côtés. Sarkozy président de la République, il commence sur une ligne et finit sur une autre. Il commence sur l'ouverture, il finit sur le discours de Grenoble. Moi je ne dois pas bouger. C'est tellement difficile d'avoir une identité politique. Si on change, c'est perçu comme un échec et deuxièmement, dans cette période de crise ou de sortie de crise, comme un signe de faiblesse. "Qu'est-ce qu'il pense ? Qui il est ?" D'ailleurs, Mitterrand, quand il fait le tournant de 1983 – qu'il ne fait pas par conviction mais par obligation –, eh bien il perd en 1986 ! »

46

Les retrouvailles

Samedi 7 décembre 2013 en début de soirée, Michel Gaudin voit apparaître sur son téléphone un numéro qu'il connaît par cœur. Lorsque Nicolas Sarkozy était à l'Élysée et que lui-même était préfet de police de Paris, la communication était ultra fluide et quasi quotidienne avec la présidence. Aujourd'hui, il est directeur du cabinet du faux retraité et ce sont ses adversaires qui occupent le Château. Que peut bien vouloir le pouvoir socialiste un samedi soir de décembre ? À l'autre bout de fil, Pierre-René Lemas, le très courtois et affable secrétaire général de l'Élysée. Conversation polie entre énarques. Rapidement, Lemas évoque la mémoire de Nelson Mandela, décédé deux jours plus tôt à l'âge de quatre-vingt-quinze ans, et lui fait part d'un message du président : « *François Hollande invite Nicolas Sarkozy à l'accompagner à Johannesburg* » pour les obsèques de la figure emblématique de la lutte anti-apartheid. L'ex-président, qui avait rencontré le leader sud-africain quelques années plus tôt lors d'une visite au Cap, accepte immédiatement. Reste à finaliser la logistique et les détails de l'expédition. Pour s'éviter une petite quinzaine d'heures de vol côte à côte, les deux hommes voyageront finalement dans deux Falcon différents pour se retrouver sur le tarmac de l'aéroport de Johannesburg. Les images des deux hommes, arrivant ensemble au stade, assis côte à côte, donnent le sentiment à tous les observateurs de voir en avant-première l'affiche du match retour de 2017. C'est la première fois depuis la passation de pouvoir que les deux fauves se retrouvent. En ce mois de décembre 2013, plus personne ne doute du retour en politique de l'ex-président. À commencer par François Hollande.

47

« Il ne devrait pas me dire ça à moi !
Je suis son adversaire ! »

« *Je pense que s'il ne lui arrive rien, c'est lui que j'affronterai. Je ne vois pas bien comment ils pourront l'en empêcher. Est-ce que c'est le meilleur scénario pour moi ? Il a plus de qualités que les autres, il a plus de défauts aussi. Chirac a réussi, entre 1993 et 1995, à se faire un nouveau personnage. Le type n'est pas supportable en 1993. Mais quand on le revoit en 1995, il y a une vérité qui apparaît. Mitterrand, les gens découvrent vraiment le personnage en 1974, et en 1981 ce n'est plus le même, il a pris de la densité. Concernant Sarkozy, on pouvait penser qu'il y aurait une mue. Mais quand je l'ai retrouvé dans le stade en Afrique du Sud, c'est comme si je venais de le quitter, comme si je sortais du bureau le 6 mai. Le même, avec les mêmes histoires, les mêmes façons de parler, me disant des choses qu'il ne devrait pas dire. Dire du mal de Fillon, de Copé, de tous... Je me dis qu'il ne devrait pas me dire ça à moi ! Je suis son adversaire !*

Parfois la défaite, le temps, la réflexion, la sagesse, l'expérience, tout cela aboutit – non pas à modifier génétiquement le personnage –, mais au moins à corriger certains travers. Ce n'est pas "moi, président de la République", c'est "moi

Nicolas Sarkozy". Conscient ou inconscient, c'est toujours très intéressant les plaisanteries. Ses vacances lui paraissent sans doute un peu longues, du coup il est sur le mode : "j'y pense en ne me rasant pas !" [Rires].

Dans le stade, on a été aimables. Lui me présentait les chefs d'État qu'il connaissait et que je n'avais pas côtoyés, George Bush essentiellement. Je lui ai présenté en retour deux ou trois chefs d'État qui ont été élus depuis son départ. Ensuite, il m'a parlé de ses conférences. Pas pour me dire : "Je fais des conférences, c'est très intéressant", non, pour me dire : "Tu verras, on a un agent, on gagne de l'argent…" L'impression que j'ai eue, c'est toujours la même, pour résumer : "Tous des minables." J'ai compris qu'il se mettait dans la position du recours par rapport à Le Pen, et en attendant c'est : "Moi, j'ai la vie que je voulais, je fais de l'argent." Il attend que le FN sorte en tête aux européennes pour dire : "La droite a été incapable." À propos du Front, il me dit : "Je ne laisserai pas faire." Il se voit en recours. "Je vais sauver le pays de la menace de l'extrême droite." Il me donne l'impression d'avoir abandonné la stratégie de Patrick Buisson. Sarkozy est quelqu'un qui n'a pas de constante. Il fait une campagne en 2007 sur la triangulation, l'ouverture. En 2012, dans l'entre-deux-tours, il va sur le registre du Front national. Et maintenant, il va aller sur "le progrès, la France, la Nation" contre ceux qui veulent casser la République. Une stratégie à la Guaino plutôt qu'à la Buisson. Il peut en changer demain, mais pour l'instant, c'est ça son truc. Il utilise la peur. »

48

Bygmalion

C'est le genre d'interview confession dont BFM TV s'est fait une spécialité. Un an après Jérôme Cahuzac, c'est un inconnu du grand public, de droite cette fois-ci, qui apparaît sur les écrans ce lundi 26 mai au soir. Les yeux mouillés, Jérôme Lavrilleux passe à table. Directeur adjoint de la campagne de Nicolas Sarkozy, intime et porte-flingue de Jean-François Copé, cet homme de l'ombre endosse sa part de responsabilité dans le scandale Bygmalion. Il l'avoue : la bataille de 2012 a sérieusement dérapé dans le camp UMP. Ce lieutenant dévoué décide, ce soir-là, d'endosser le rôle de fusible idéal et de protéger ses deux patrons.

Un peu plus tôt dans la journée, c'est l'avocat de l'entreprise de communication, Patrick Maisonneuve, qui allumait la première mèche. Devant la presse, il confirme qu'il y a bien eu un système de surfacturations à hauteur de 10 millions d'euros, mis en place pendant la campagne présidentielle, *« à la demande de l'UMP »*. Le grand déballage emporte Copé, contraint de démissionner de la présidence de l'UMP, mais qui sortira deux ans plus tard du bureau des juges sans mise en examen ! Nicolas Sarkozy rejette en bloc toutes les accusations et va jusqu'à affirmer, dans son livre : « *On aura sans doute du mal à le croire, c'est pourtant, je le jure, la stricte vérité : je ne connaissais rien de cette société jusqu'à ce que le scandale éclate.* » Lui sera, malgré tout, comme plusieurs de ses proches, mis en examen. Une affaire de plus, un boulet supplémentaire aux chevilles de l'ancien président qui imaginait son retour en sauveur ! Pour François Hollande, dont la probité reste à ce jour l'une des dernières cartes encore intactes, les ennuis judiciaires de son meilleur ennemi sont l'occasion de cliver sur un terrain qui lui est favorable. Derrière le récit de son expérience de candidat, pointe son jugement sur la possible culpabilité du candidat Sarkozy.

49

« *Moi, on me demandait systématiquement mon avis et je tranchais* »

« *Je ne suis pas surpris par Bygmalion : les révélations d'éventuelles surfacturations liées à la campagne de 2012. Elle a littéralement explosé. Nous on regardait de près le prix des meetings, on sait combien ça coûte. Qu'est-ce qui s'est passé ? Il s'est dit qu'il allait faire quatre ou cinq grands meetings, et donc ses équipes construisent un budget de campagne sur ce calibre-là. Mais rien que le meeting de Villepinte a dû coûter une somme faramineuse ! Nous, on s'est rendu compte des coûts avec Le Bourget. Et le coût est d'autant plus élevé quand ça n'a pas été prévu à l'avance.*

Prenons l'exemple du meeting que nous avons organisé à Vincennes. Il y avait plusieurs devis. Julien Dray voulait faire très grand, un concert, un pique-nique... De bonnes idées, mais je me souviens d'une réunion avec Pierre Moscovici et Nasser Medah qui s'occupait de l'organisation, ils me disent : "Nous, on ne peut pas suivre." Il y a eu une altercation entre Dray et Medah, Dray a fait un malaise d'ailleurs ; il était blessé d'avoir bâti quelque chose et de se voir opposer une fin de non-recevoir pour des raisons budgétaires. Mais c'était comme ça, on n'avait pas l'argent. Évidemment, je ne peux pas parler pour Sarkozy, mais en ce qui concernait ma campagne, on me demandait systématiquement mon avis et je tranchais : "Si on n'a pas l'argent, on fait autrement." C'est vrai que c'est tentant à un moment, quand vous êtes à quelques encablures du résultat, de dire : "On va fouetter la machine" et on dépasse, on dépasse. De toute façon, soit on est battu, qu'est-ce que ça peut faire d'avoir dépassé le plafond autorisé ? Et si on est élu, on ne nous invalidera pas ! On remboursera. Je pense qu'ils ont tenu ce raisonnement-là. Je me souviens très bien qu'il y a eu une espèce d'emballement dans les trois dernières semaines : Mélenchon faisait ses grands meetings dehors, nous aussi... Nicolas Sarkozy, lui, a fait le Trocadéro ! C'était très... impressionnant. Après, moi, je n'ai pas d'informations... Est-ce que les devis lui ont été présentés ? Est-ce qu'il a donné son avis ? »

50

Sarkozy président :
stop ou encore ?

« Cette pauvre Claire Chazal ! Elle m'explique que c'est Bruno Le Maire qui a gagné ! » Nicolas Sarkozy peste contre la présentatrice du 20 heures de TF1. Sa grande faute : avoir minimisé sa victoire à la présidence de l'UMP. *« Vous avez été élu avec un score très large, mais peut-être moins écrasant que vos proches ne l'espéraient »*, lance Claire Chazal au revenant, le dimanche suivant son élection. Rictus agacé et haussement d'épaule, la réponse fuse : *« Certes je n'ai pas fait un score de 100 % comme Marine Le Pen, une candidate qui n'avait pas d'opposant ! »* Des mois après l'interview, dès qu'il évoque ses rapports avec la presse, cet épisode revient comme un refrain. *« Cette pauvre Claire Chazal ! »*

Le 29 novembre 2014, Nicolas Sarkozy est élu président de l'UMP avec 64,5 % des voix, devant Bruno Le Maire, qui frôle les 30 %, et Hervé Mariton. Sur la ligne de départ, la team Sarkozy le voyait beaucoup plus beau : un score supérieur à 80 % ! Puis 75, puis 70… Le refrain à la mode, *« Le renouveau, c'est Bruno »*, a bien pris dans le parti, faisant fondre leur optimisme. À l'arrivée, *« il est soulagé »*, glisse son ami Brice Hortefeux. « *Un candidat a toujours peur d'une mauvaise surprise, 65 %, c'est bien.* » C'est bien. Mais très loin du plébiscite de 2004 lorsqu'il prenait l'UMP avec 85 % des voix. Le patron est de retour mais le parti a changé. La défaite à la présidentielle a entamé son autorité auprès des siens. Après l'avoir copieusement cogné pendant la campagne, Bruno Le Maire dit tranquillement « *non merci* » à un poste de direction. Alain Juppé ironise le soir de l'élection : « *Habemus papam.* » Le maire de Bordeaux, porté par des sondages présidentiels flatteurs, est concentré sur la primaire.

Il veut des règles claires et une organisation sans faille. Il a encore en tête les sifflets des sarkozystes contre lui lors d'un meeting de campagne dans sa ville. Nicolas Sarkozy n'avait pas cillé. François Fillon, bien qu'un peu sorti du jeu, n'abdique pas : « *L'union n'est pas la soumission* », prévient-il. Même les plus jeunes testent, à l'époque, l'autorité du chef : Laurent Wauquiez et Nathalie Kosciusko-Morizet s'écharpent pour savoir qui aura la meilleure place dans l'organigramme et le bureau le plus spacieux. Mais comme se plaisait à le dire Sarkozy lorsqu'il était président : « *Alors quoi ? Parce que c'est difficile je ne devrais rien faire ?* » Son ami Brice Hortefeux se charge du *story telling*. « *Il a beaucoup hésité à revenir à l'UMP. Mais Carla, elle, n'a pas eu de doutes. C'est un changement très important : elle accompagnera son mari.* » Voilà pour l'équation personnelle. L'équation politique repose sur la notion de sacrifice. « *L'ambition a été un moteur très fort chez Nicolas pour être élu président de la République. Il l'a été. Cette fois,* ajoute-t-il, *on n'est plus sur le registre de l'ambition, mais sur l'idée de servir l'intérêt du pays. Giscard était revanchard, pas Nicolas. C'est la situation abominable du pays qui le pousse à revenir*[1]. » Et les affaires ? « *Selon mes infos, ça va s'éclaircir* », répète souvent l'ex-ministre de l'Intérieur dans le secret du bureau de son ami.

---

1. Entretien avec l'un des auteurs, le 9 septembre 2014.

51

« Sarkozy n'a pas digéré
le débat du second tour
et l'humiliation »

« *Pour l'instant, Sarkozy n'a pas fait l'effort de mettre des idées en avant. Il considère sans doute qu'il est trop tôt pour ça et que l'important est de prendre l'appareil. Je pense qu'il est sur une ligne très à droite alors qu'il pouvait être sur une ligne plus centrale. Cela correspondrait davantage au positionnement d'un ancien président de la République. Il a fait beaucoup de discours pendant cette campagne des primaires. La plupart d'entre eux ont révélé des facilités auxquelles un chef de parti peut être tenté de céder, mais qui ne correspondent pas au statut d'un ancien chef de l'État. Un chef de parti est obligé d'être dans la critique, le sarcasme, la dénonciation : il fracture l'opinion. Et par ailleurs il est obligé d'être dans la synthèse de son propre camp, ce que j'ai fait pendant des années ! J'ai fait ça, exactement ! La fracture contre la droite et la synthèse avec les miens. Et c'est là qu'il y a un malentendu. On verra s'il se confirme. Moi j'ai pensé, à partir de 2008-2009, que s'il y avait des primaires, être chef de parti n'était pas un avantage. S'il n'y a pas de primaires, être chef de parti est une garantie.*

On voit bien ce qui se passe à droite aujourd'hui : Sarkozy a décidé de prendre le parti, et Juppé a décidé de se mettre à l'extérieur. Et celui qu'on a envie d'entendre, c'est celui qui n'est pas dans un rôle obligé. Est-ce qu'il vaut mieux se faire applaudir ou est-ce qu'il vaut mieux se faire siffler ? Il vaut mieux se faire siffler ! Parce que c'est celui-là qui apparaît comme courageux, et celui qui se fait applaudir comme démagogue. Le choix de Sarkozy est donc un choix de parti. Il pense que le parti va contrôler les primaires, voire qu'il n'y aura pas de primaires. S'il y a des primaires, je pense qu'il sera en difficulté, peut-être vainqueur, mais en difficulté. Je suis convaincu qu'il y a des gens qui sont venus voter pour moi à la primaire et qui n'étaient pas de gauche mais du centre droit. De la même façon, il est possible que des électeurs de gauche viennent voter Juppé. Conclusion : soit Nicolas Sarkozy est sincère, et la primaire va être très difficile pour lui. Soit il n'est pas sincère, ce qui veut dire qu'il n'y aura pas de primaire.

S'il y a deux candidats de droite en 2017, il faut que je fasse attention. Cela peut engendrer un risque de dispersion de l'électorat de gauche. Certains peuvent aller voter au premier tour pour départager les deux candidats de droite et barrer la route à celui qu'ils rejettent absolument. En 1995, Lionel Jospin n'a pas été éliminé, mais il lui a manqué des voix à gauche : beaucoup sont allés voter Chirac dès le premier tour pour ne pas avoir Balladur au second ! Cela peut très bien se reproduire, des électeurs peuvent se dire : "La gauche n'a aucune chance en 2017, on ne va pas voter Hollande mais Juppé dès le premier tour pour barrer Nicolas Sarkozy ou un autre."

Sarkozy est obsédé par la présidentielle. Je pense qu'il n'a pas digéré le débat du second tour et l'humiliation. Il est dans un troisième tour. Dans l'idée que l'élection ne s'est pas faite comme elle aurait dû. Au lieu de préparer 2017, il refait 2012 ! Contre Marine Le Pen, et contre moi ! Il en veut à Marine Le Pen, lui reprochant en substance : "C'est à cause de vous que Hollande a été élu." Il en veut à Bayrou : "Comment peux-tu oser venir vers nous alors que tu as fait la victoire de Hollande ?!" C'est son erreur ! Giscard avait commis la même faute. Après 1981, il s'est senti trahi par Chirac, il trouvait sa défaite injuste. Il a essayé de rejouer la partie et ça n'a pas fonctionné. Tant que Sarkozy n'aura pas fait le deuil de 2012, il sera en difficulté pour 2017. Il aurait dû dire : "J'ai perdu en 2012, j'ai mes raisons, je vais essayer de comprendre pourquoi les Français ne m'ont pas renouvelé leur confiance. Mon intention était de ne jamais revenir, mais je reviens parce qu'il y a péril à droite, l'extrême droite menace, la gauche sombre", et tenir un discours rassembleur et gaullien. Il a hésité à le faire. Cela aurait été sans doute mieux... pour lui. »

52

Deux Français en vacances

Aiguines, village provençal aux portes des gorges du Verdon. Aux alentours de midi, un convoi de quelques voitures arrive discrètement. Depuis plusieurs jours, la presse parisienne se demande où est passé François Hollande. Quelle région a-t-il choisie pour passer ses quelques jours de vacances ? Julie Gayet est-elle avec lui ? Qui réussira à remonter sa trace aura un scoop assuré ! Un photographe de *Paris Match* a filé la bonne idée : la piste Cazeneuve. En maraude dans la région, il mise tout sur le 12 août, jour de l'anniversaire du président. Bonne pioche. François Hollande se retrouve en photo dans *Paris Match*, attablé devant une tarte aux framboises plantée de quelques bougies. On reconnaît Jean-Pierre Jouyet, son ami de toujours et plus proche collaborateur, ainsi que le ministre de l'Intérieur devenu un intime, peut-être l'homme en qui le président a aujourd'hui le plus confiance. *« Pour fêter ses soixante et un ans, François Hollande a choisi Aiguines dans le Var »*, titre le journal. Seule image des vacances du président. Pour la première fois depuis son arrivée à l'Élysée, François

Hollande a réussi en cet été 2015 à rester maître de son image. Pas de photo ridicule sur la plage ou de commentaires déplacés sur la ligne du président. Cette année, il a tout verrouillé. Ils n'étaient qu'une poignée dans la confidence. Il était temps !

Nicolas Sarkozy, lui aussi, a envoyé une carte postale. Là encore, une communication totalement maîtrisée. Il n'est pas attablé à un banquet avec ses amis. La semaine du 12 août, alors que François Hollande, joyeux, souffle ses bougies dans *Le Parisien*, sortent simultanément les photos de vacances de millionnaire de l'ex-président dans un domaine de rêve en Corse en une de *Paris Match*. On y voit sur une sublime plage de l'île de Beauté un Sarkozy en short de bain, abdos travaillés, tenant par la taille une Carla Bruni épanouie. Deux images à l'opposé l'une de l'autre.

53

« *Sarkozy veut montrer qu'il a un corps d'athlète, une femme superbe...* »

« *Ça peut paraître dérisoire, mais je voulais vraiment qu'il n'y ait rien qui sorte sur mes vacances. Rien. Sauf des images que moi-même je proposais. Pour le jour de mon anniversaire, l'histoire est amusante. Parce qu'en réalité, on ne vient pas fêter mon anniversaire mais le mariage de Bernard Cazeneuve. Personne ne le sait. Il se trouve qu'il se marie le 12 août. La scène, assez cocasse : on est dans ce village où nous a repérés ce photographe de* Match. *Il n'a même pas vu qu'il y avait eu un mariage ! Et il se trouve que le premier ministre belge, Charles Michel, passe en moto dans le village à ce moment-là ! Voyant Jouyet et Cazeneuve, il s'arrête. Je lui demande ce qu'il fait là. Il me dit : "Je suis en balade avec ma femme, j'ai reconnu Jouyet, je me suis arrêté." Il est resté boire un verre avec nous !*

Au-delà de l'anecdote, j'ai réussi à me préserver cet été. D'abord, en allant dans une maison d'ami, de laquelle je ne suis pas sorti, à la frontière du Var et du Vaucluse... Je n'ai indiqué à personne ici, à l'Élysée, où je me rendais. Je suis convaincu que l'année dernière, la fuite est venue d'ici, en lien avec Sarkozy. Le photographe qui m'avait pris en photo est un photographe proche de Carla Bruni.

238

À travers les photos de ses vacances, je vois ce que veut faire Sarkozy. C'est d'ailleurs assez amusant. Il veut montrer qu'il fait du sport, qu'il a un corps d'athlète, qu'il a une femme superbe, et que lui au moins se met en scène. Mais je pense qu'il y a une double cible, il ne faut jamais être paranoïaque ! Il y a la cible Juppé : "Regardez comme je suis jeune, avec une femme jeune. Je suis un jeune père, et regardez comme j'assume le luxe de ma situation !" L'autre élément, qui est encore plus grossier, c'est : "Regardez, je me montre en sportif pendant que François Hollande se cache..." Du coup, c'était pas mal, de mon côté, de donner une image de proximité, d'être avec des amis. Tout cela, bien sûr, est un pur hasard ! C'est drôle, la communication ! Si j'avais voulu réfléchir à un plan, celui-ci aurait été excellent, alors qu'il est totalement fortuit ! »

54

L'inconnu de Bordeaux

« *Juppé, je ne le connais pas bien.* » Quand on demande à François Hollande de nous parler de sa relation à Alain Juppé, il a d'abord cette phrase. Puis plus rien ou presque. Pour seule anecdote, il garde en tête le souvenir d'un voyage en train. En 2010, les deux hommes se retrouvent par hasard dans le même compartiment. Mais là encore, rien. « *Pas d'échange, pas de confidence* », semble même regretter le chef de l'État. Des ténors de droite qui s'apprêtent à s'affronter pour représenter leur camp à la présidentielle, le favori des sondages est celui dont le président de la République est le plus éloigné sur le plan personnel. Question de génération, d'abord. En mai 2017, François Hollande aura soixante-deux ans, Nicolas Sarkozy quelques mois de moins, François Fillon un an de plus. Le maire de Bordeaux ira, lui, vers ses soixante-douze ans. En dépit de leur différence d'âge, les deux hommes auraient pu se croiser dans l'une des institutions de la Vᵉ République. Mais le hasard les a toujours tenus éloignés. Quand le plus jeune entre à l'Assemblée à la fin des années quatre-vingt, l'aîné a déjà été ministre de Jacques Chirac. « *Entre 88 et 93, je le voyais comme un des responsables de l'opposition,* se souvient François Hollande, *mais ne créant pas de lien avec lui. Je n'ai pas de souvenir, je n'ai même pas de souvenir d'un discours de Juppé !* »

Mai 1995, dans la foulée de l'élection de Jacques Chirac, « le meilleur d'entre nous » débarque à Matignon. Les deux hommes se croisent enfin, mais par médias interposés. Vingt ans avant le socialiste, le gaulliste affronte vite une impopularité record. Dans le camp d'en face, un jeune député aux lunettes rondes est nommé porte-parole du Parti socialiste. « *Alors là, je l'ai beaucoup combattu !* s'amuse Hollande. *Et c'était facile, ou plutôt il était une proie facile. J'utilise ce mot parce que ça a été une période très compliquée pour lui. Ensuite il y a 97, la défaite de la droite, puis il est rattrapé par les affaires.* »

Les années suivantes, chacun suivra son chemin, entre Bordeaux et Montréal pour l'un, entre la rue de Solferino et la Corrèze pour l'autre. Aujourd'hui, François Hollande observe Alain Juppé de loin. Pendant trois ans, il ne l'a pas vu venir, concentré sur son duel à distance avec Nicolas Sarkozy. Lors de nos derniers rendez-vous, le doute semblait s'être installé chez cet homme qui se trompe rarement quand il s'agit de pronostiquer des résultats ou des rapports de force politiques. Le président ne se reconnaît aucun point commun avec lui, excepté une proximité idéologique sur la politique étrangère. « *À la différence de Fillon et de Sarkozy, il n'est pas pro-Russes. Il n'est pas fasciné par Poutine comme d'autres, notamment Fillon. Sur la Syrie, c'est lui qui rompt les relations diplomatiques avec*

Bachar al-Assad en 2011. Quand en 2013 moi-même j'étais prêt à punir Bachar, il était plutôt sur la même ligne. »

En trente-cinq ans de vie politique, les deux hommes ne se sont affrontés qu'une seule fois sur un plateau télé. C'était le 26 janvier 2012 sur France 2, quelques jours après le célèbre discours du Bourget. Un débat musclé qui peut fournir des indications sur les arguments que pourrait utiliser le camp socialiste lors d'un éventuel affrontement en 2017. Ce soir-là, quand Juppé accuse un Hollande très en confiance de péché d'arrogance, l'intéressé envoie l'ancien premier ministre « droit dans ses bottes » dans les cordes :

« En matière d'arrogance, chacun a à faire son examen de conscience.

— Moi, je l'ai fait depuis longtemps ! Vous, vous en êtes tout à fait au début !

— Je ne suis peut-être pas encore guéri, mais vous, vous avez quand même des rechutes possibles. »

Le public se marre. 1-0 pour Hollande ce soir-là.

55

« *En campagne, je vois Juppé plus fragile que Sarkozy* »

« *Pour l'instant, Alain Juppé évite les coups, mais il n'imprime pas grand-chose dans l'opinion. Son seul atout est d'être le favori des sondages mais je ne sais pas ce que cela peut donner dans une campagne interne féroce qui l'obligera à sortir de l'ambiguïté et à s'exposer. On peut se différencier dans une campagne, mais on est entraîné par son camp, à la fin. La primaire se fera à droite. C'est le calcul de Sarkozy. Cette primaire se jouera sur la surenchère à droite. On le voit d'ailleurs. Fillon se met à faire des discours sur la sécurité en annonçant un grand ministère dédié qui engloberait le ministère de la Justice. Juppé en rajoute sur les questions économiques et sociales comme pour bien faire la démonstration qu'il est bien de droite. Le candidat qui sortira de la confrontation sera très marqué à droite. Nicolas Sarkozy a donc une chance.*

Il va tout faire pour revenir dans le match. Son livre est un élément de cette stratégie. Il va jeter toutes ses forces dans la bataille, pour montrer qu'il est l'homme de la situation. Il va vouloir montrer que la France, l'Europe, le monde traversent une crise majeure dont les réfugiés sont l'élément essentiel. Que nous sommes dans l'affrontement avec l'islam dévoyé et qu'il est le seul capable d'être le sauveur. Juppé, dans son esprit, est issu d'un vieux système, celui de la pensée unique. Il reste une hypothèse : que Nicolas Sarkozy n'aille pas au terme de la primaire s'il ne parvient pas à remonter son retard. Je crois qu'il ne prendra pas le risque d'être battu. D'une certaine façon, lui et moi sommes un peu dans la même problématique. Il doit démontrer qu'il n'est pas un candidat de plus mais qu'il est la solution, Juppé n'étant qu'une illusion. Il se présente aussi comme une solution pour la droite vis-à-vis de la menace de l'extrême droite : il peut retenir des électeurs tentés par le vote FN.

Si Nicolas Sarkozy renonce ou perd, la campagne contre Alain Juppé sera différente. On ne sera pas sur l'identité et la nation, on en reviendra à un débat classique sur l'économie et le modèle social français. Sa ligne est la même que celle qu'il défendait en 1986 lorsqu'il était ministre de Chirac, la même que lorsqu'il était à Matignon en 1995. Il sera le candidat de la droite libérale mâtinée d'un peu de "chiraco-gaullisme" pour la politique étrangère. Si le rejet de Nicolas Sarkozy demeure à droite, Juppé sera choisi. Mais les choses peuvent se compliquer pour lui et donc m'avantager. Je m'explique : il est le meilleur candidat pour l'extrême droite. On le voit par exemple à la façon dont Florian Philippot le flatte. Un candidat "modéré" qui n'empiète pas sur l'électorat de la droite radicale. Sa candidature pourrait alors dans le même temps profiter à un candidat supplémentaire entre lui et Marine Le Pen, Nicolas Dupont-Aignan par exemple... Enfin, il finira par déplaire à un électorat de centre gauche qu'il séduit aujourd'hui, puisqu'il apparaîtra dans la campagne comme voulant repousser l'âge de la retraite, supprimer l'ISF, changer la sécurité sociale... Faire 100 milliards d'économies !

On dit que Juppé est le plus dangereux pour moi. Dans les sondages, c'est incontestable mais il peut donner l'impression qu'il ne fera pas beaucoup bouger le pays. On peut le choisir par raison, à droite, parce qu'il est le mieux placé pour gagner. Au centre, parce qu'il est le moins marqué, le moins outrancier. C'est un candidat "raisonnable", pas un candidat qui fait espérer. Mais pour gagner – et ça vaut aussi pour la gauche –, il ne faut pas simplement être un candidat du refus de l'autre, il faut laisser espérer.

En campagne, je le vois beaucoup plus fragile que Sarkozy. Sans vouloir faire sa promotion – ne croyez pas que ce soit mon intérêt –, Sarkozy a des faiblesses, bien sûr, comme cet égocentrisme qui apparaît très bien dans son livre. Pour autant que j'aie pu en juger, c'est une confession. Il ne parle que de lui mais ne porte aucune idée forte pour la nation ! Mais c'est un bon candidat. Il a des fans avec lui. Juppé, lui, a des soutiens. Ce n'est pas la même chose. En 2012, Nicolas Sarkozy était rejeté et il est parvenu à faire 48 % ! À la fin, il galvanisait les foules. Juppé, ce sera plus retenu. Ils partagent un point commun : ils sont tous les deux dans la revanche. L'un, Sarkozy, dans la revanche par rapport à moi. L'autre, Juppé, c'est la revanche par rapport au sort qui lui a été fait. Sarkozy pense que les autres sont inconsistants. Il n'a pas de considération pour le reste de l'humanité. Juppé pense qu'il est le meilleur. Ils sont tous les deux dans l'idée qu'ils n'ont pas été reconnus. »

56

Le bizuth

Dans l'épreuve de vérité qu'est la fin d'un règne, un atout reste intact aux yeux du président sortant : le rôle de la France dans les affaires de la planète. Les débuts ont été modestes. Quelques jours après son investiture et une première rencontre avec Angela Merkel, François Hollande s'envole pour l'Amérique. À peine élu, le président, dont la droite et les partisans de DSK moquaient le manque d'expérience à l'international, a rendez-vous avec les grands de ce monde. Le G8 se tient à Camp David, résidence d'été des présidents américains. Vendredi 19 mai en début de soirée, Barack Obama accueille ses invités, devant une marée de caméras et de photographes. Le président américain, pantalon de toile marron et veste sombre sur une chemise ouverte, affiche une décontraction de rigueur. Lors du dîner d'ouverture du G8, traditionnellement, on abandonne la cravate. François Hollande ignore cet usage, il est le seul à se présenter en costume. La posture quelque peu empruntée d'un nouveau venu à la table des grands dirigeants de la planète suscite un commentaire féroce de son hôte.

« François, on avait dit que tu pouvais enlever la cravate ! » lui lance, hilare, un Barack Obama peu charitable devant la presse mondiale.

Le Français, dans son anglais improvisé, tente de donner le change : *« C'est pour ma presse ! »* *« Pour ta presse, il faut que tu présentes bien ! »* l'approuve alors l'Américain pour le sortir de l'inconfort dans lequel il l'avait placé. Dans la presse française et sur les réseaux sociaux, l'anecdote est abondamment relayée : la cravate, déplacée ou de travers, va devenir l'emblème d'un *« président normal »* ou d'un *« amateur »* aux yeux de ses opposants, objet de moqueries récurrentes. François Hollande en éprouve un certain agacement, d'autant que le novice aborde cette première réunion internationale avec une certaine appréhension. Il attend d'une part le soutien d'Obama dans son bras de fer avec Angela Merkel sur la promotion d'une politique de relance, tout en redoutant sa désapprobation sur le retrait des troupes françaises d'Afghanistan.

Lough Erne en Irlande, un an plus tard. Hollande retrouve ses nouveaux amis. Sans cravate cette fois ! Et le contexte est radicalement différent. Non seulement le président français a acquis l'expérience d'une année de voyages officiels et d'échanges diplomatiques, mais il est aussi perçu comme un chef qui fait la guerre aux islamistes dans le nord du Mali. Le G8, largement consacré aux problèmes de lutte contre le terrorisme, de la Syrie ou de l'Iran, le place dans une position plus favorable. Barack Obama, qui vient d'être réélu, est toujours aussi sûr de lui, porté par une économie américaine qui montre des signes de reprise. L'échange entre les deux chefs d'État va pourtant se tendre sur un sujet discuté en marge du G8. L'Europe et les États-Unis ont décidé d'ouvrir des négociations devant déboucher sur un accord de libre-échange entre les deux continents. La France y est favorable, mais exige que le domaine culturel en soit exclu au titre de la fameuse « *exception française* ». Il s'agit d'autoriser les Européens à ne pas exposer ce secteur à la concurrence avec le risque, à terme, de le voir mourir, écrasé par l'industrie culturelle américaine. Barack Obama n'y est pas favorable. « *C'est tout ou rien* » pour l'Américain qui le fait savoir directement à François Hollande lors d'une visioconférence quelques jours avant la tenue du G8. L'Américain le menace de « *représailles massives* ».

La décontraction et le sourire éclatant de l'Américain, c'est pour les caméras. Face à François Hollande, il adopte un tout autre visage, beaucoup plus fermé. La France est sous pression, et même isolée dans ce combat au sein d'une Europe peu regardante en la matière. Trois jours avant le G8, José Manuel Barroso, le président de la Commission européenne, libéral et pro-américain, a pris ouvertement position contre la France, la traitant de « réactionnaire ». In extremis, l'Union européenne s'est pourtant ralliée finalement à la position de la France, qui brandissait son droit de veto et menaçait de tout bloquer. Au G8, trois jours après la visioconférence, François Hollande et Barack Obama se retrouvent en tête à tête dans le cadre verdoyant de Lough Erne. La tension est redescendue. Les deux chefs d'État, toujours en désaccord sur le fond, conviennent de ne pas aller au clash. Pour les États-Unis, l'enjeu est important. La conclusion d'un accord de libre-échange entre eux et l'Europe permettrait de créer plus d'un million d'emplois supplémentaires. Le G8 annonce dans ses conclusions le lancement des négociations. Le domaine culturel en est exclu. Le président français remporte la première manche !

57

« *Obama est un homme intelligent.*
Mais il est américain.
Il défend ses positions »

« *Il y a une différence entre le premier G8 et le second. Le premier, j'arrive juste au pouvoir. L'histoire de la cravate, lorsque Barack Obama ironise devant les caméras sur le fait que je suis le seul à ne pas avoir de tenue décontractée, est un peu absurde ! Pourquoi cette tradition ? C'est une réunion sérieuse. On enlève sa cravate pour faire comme si on était décontracté ?! Ça me paraît totalement dérisoire, et c'est l'image que les médias retiennent. Passons. Ce G8 est très important pour moi. D'abord : est-ce qu'Obama va se cabrer sur le retrait d'Afghanistan ? Et, deuxième sujet, est-ce qu'il va être un soutien pour les politiques de crois-sance ? De ce point de vue, le G8 réussit parce que, même si Merkel en a gardé de l'amertume, il y a une pression qui s'exerce sur elle. Obama joue clairement en faveur de la croissance. Et sur l'Afghanistan il estime qu'il ne peut pas "me chercher". Il me dit : "J'ai été élu sur le retrait d'Irak, je comprends parfaitement que sur l'Afghanistan vous puissiez avoir la même position." Je quitte Camp David plutôt conforté. C'est important de ne pas rater son entrée.*

Le deuxième G8 est différent. Je suis là depuis un

an, je suis le président qui a mené une intervention au Mali. Ça peut, ici en France, paraître une décision importante mais pas considérable, mais pour ceux qui sont présents au G8, c'est décisif. D'autant que cette fois-ci, en juin 2013, on est moins sur l'économie et davantage sur l'international : Syrie, Afrique, terrorisme... On est plutôt en phase avec Cameron sur la Syrie, lui aussi est très ferme, très allant. Obama, lui, ne veut pas fâcher Poutine. On obtient un compromis acceptable, un communiqué commun qui marque la volonté de travailler à une solution politique en Syrie. C'est peu mais Obama ne veut pas rompre, d'autant qu'il y a aussi le dossier du nucléaire iranien sur lequel il pense que Vladimir Poutine peut être un allié. C'est ce qui explique qu'on ait renoncé finalement à faire un communiqué séparé sur la Syrie condamnant plus fermement Bachar al-Assad, voire en formalisant un ultimatum. On se serait retrouvé avec deux communiqués : sept d'un côté et la Russie à part. On s'est accordé sur un compromis.

Obama est un homme intelligent, cultivé, démocrate. Mais il est américain. Il défend ses positions. Il est ferme. On n'est pas dans une espèce de familiarité. Il est bon intellectuellement, il connaît les sujets. Il a été réélu. Donc je suis devant le président des États-Unis, pas devant un ami. Et en même temps, j'étais dans un rapport de forces meilleur que lors du premier G8. Parce qu'il y avait eu le Mali, parce que, sur la Syrie, on avait défendu des positions différentes des États-Unis. Parce qu'économiquement, nous sommes sortis de la crise de la zone euro... Et donc, on peut montrer devant les États-Unis qu'on n'est pas complètement écrasés. Lui, il était venu uniquement pour capter la négociation commerciale. Avec un argument : "Il vaut mieux toper avec moi, pas avec mon successeur. Vous savez qui vous avez, vous ne savez pas qui vous aurez." »

58

Angela

Achevée dans la douleur et les divergences sur le Brexit, l'histoire du couple franco-allemand version Hollande-Merkel commence dans un climat de méfiance relative. Dès son arrivée, le nouveau chef de l'État veut instaurer un rapport de forces avec Angela Merkel. Son idée d'un pacte de croissance accolé au traité budgétaire est une promesse de campagne. La gauche française a basculé dans l'euro-scepticisme depuis le référendum sur la Constitution de 2005. La bonne entente affichée entre Nicolas Sarkozy et la chancelière, même factice, même illusoire, est un argument politique supplémentaire pour se démarquer du traité négocié entre Paris et Berlin. La stratégie de l'Élysée est assez prévisible.

De la même façon que Sarkozy avait tenté de bâtir une alliance de revers avec la Grande-Bretagne, Hollande compte briser le face-à-face franco-allemand en s'appuyant sur les pays du sud de l'Europe. L'Espagne, l'Italie et, dans une moindre mesure, le Portugal et la Grèce. Le secrétaire général de l'Élysée, Pierre-René Lemas, théorise à l'époque la nouvelle ligne. « *Il ne faut surtout pas se laisser enfermer dans un dialogue exclusif avec l'Allemagne, nous ne gagnerons pas. Inclure l'Italie, l'Espagne et même le président de l'Union Von Rompuy, est la meilleure option*[1]. » François Hollande n'entretient de surcroît aucune proximité avec Angela Merkel. La chancelière s'est d'emblée montrée très ferme, pour ne pas dire distante avec le nouveau président. Le 15 mai 2012 en début de soirée, quelques heures après son investiture, le président français se rend à Berlin pour une première rencontre. Sous la pluie, devenue depuis la compagne fidèle de ses sorties officielles, le président français est un peu emprunté aux côtés de la chancelière. Perdu sur le grand tapis rouge bordé de militaires au garde-à-vous qui conduit à l'entrée de la chancellerie, le président français est remis sur le bon trajet d'un coup de coude agacé de la dirigeante allemande !

Raide comme un piquet, les bras rigides rythmant une démarche mécanique, François Hollande entre dans sa relation avec l'Allemagne avec appréhension. À juste raison semble-t-il. Les deux chefs d'État se retrouvent seul à seul pour une première entrevue. L'Allemande recadre d'emblée le nouvel élu. « *J'avais construit une bonne relation avec Nicolas Sarkozy. Je ne veux pas d'une cohabitation avec vous,* attaque-t-elle d'emblée. *J'ai besoin d'une France cohérente.* » Et pour la suite, c'est tout juste si la chancelière ne dicte pas au président sa feuille de route : la France a pris du retard, elle n'a pas fait les réformes qu'elle aurait

---

1. Entretien avec l'un des auteurs, le 3 septembre 2013.

dû entreprendre. Le ton est donné. Au mieux, les rapports du couple franco-allemand seront cordiaux, mais le nouvel élu ne bénéficiera d'aucun état de grâce, ni d'une quelconque clémence.

59

« *Angela Merkel, c'est la plus simple,* *la plus facile à comprendre* »

« *Entre chefs d'État il y a des tempéraments. Avec les Italiens, quels qu'ils soient – même avec Mario Monti – il a beaucoup d'humour, Mario Monti –, on est tout de suite assez proches. Je n'ai pas connu Berlusconi, avec lui ce n'est pas la même chose. Avec Rajoy, il doit tellement souffrir... À tous égards, les calamités, les affaires, la récession... J'ai de la sympathie, mais ce n'est pas de la proximité. Paradoxalement, celle avec qui les rapports sont les plus simples, c'est Angela Merkel.*

Obama est un être froid. Il est clinique dans son analyse. Agréable dans le rapport. Pas dénué d'humour. Mais il est froid. Alors que, spontanément, on est attiré par [lui]. Avec Cameron, nous sommes vraiment très différents politiquement mais c'est un Britannique, on voit bien où il veut aller. Quand on est en conflit, c'est vraiment traditionnel : les sujets économiques, les intérêts de la Grande-Bretagne en Europe, avec le fameux chèque... Mais il n'est pas antipathique. Les Britanniques ne sont pas antipathiques. Blair ! Blair est un personnage très intelligent. Les Britanniques font de la politique, comme nous. Ils font de la bonne diplomatie. Et là où on est d'accord, par exemple sur la Syrie, ça avance vite.

Angela Merkel, c'est la plus simple, la plus facile à comprendre, à lire. Elle cherche toujours le compromis, comme une méthode. "Qu'est-ce qu'on peut négocier ? Qu'est-ce qu'on peut échanger ?" Enfin elle est très pointue. Elle connaît tous ses dossiers. Parfois trop d'ailleurs... C'est aussi celle qui a le plus d'expérience : c'est elle qui est la plus ancienne au Conseil européen. De là à parler d'"amitié", c'est difficile à dire. Je ne suis pas sûr qu'il y avait de l'amitié entre elle et Sarkozy. Lui jouait la familiarité. Moi je ne joue pas. Et elle non plus. Il n'y a pas d'amitié, non, ni même d'accord de principe. Chaque accord entre elle et moi doit être confirmé, répété. »

60

Obama blues

« *J'ai, au nom de la France, répondu à la demande d'aide du président du Mali, appuyé par les pays africains de l'Ouest.* » Par cette phrase prononcée à la télévision le vendredi 11 janvier 2013 à 18 h 15, François Hollande annonce l'entrée en guerre de la France au Mali. Une décision qui va être lourde de conséquences. L'opération Serval est lancée : deux mille militaires français combattent au sol aux côtés des forces maliennes, les Rafale français mènent des raids sur les positions islamistes du nord du pays. Les jours suivants, la classe politique unanime – à quelques exceptions près – apporte son soutien au chef de l'État. L'élu, déjà impopulaire en France, bénéficie sur le plan intérieur d'un léger rebond dans les sondages. Il en profite surtout pour se forger à l'extérieur des frontières un nouveau statut : celui de leader européen dans la lutte contre le terrorisme, que ni Merkel ni aucun autre leader ne peut lui contester.

« *Merci, papa Hollande !* », « *Vive la France !* », « *Merci à l'ange qui arrête la calamité !* » Moins d'un mois plus tard, alors que l'armée française a déjà repris Gao et

Tombouctou, le nouveau chef de guerre est accueilli en héros par le peuple malien. La densité et la ferveur de la foule donnent des sueurs froides aux services de sécurité mais Hollande profite pendant vingt-quatre heures d'un moment de bonheur intense qui lui fait oublier les difficultés de sa politique intérieure. Dans un discours mémorable prononcé en fin de journée place de l'Indépendance à Bamako, il va jusqu'à qualifier ce 2 février 2013 de « *journée la plus importante de* [sa] *vie politique* ».

Quelques mois plus tard, de retour au Mali à l'occasion de l'investiture du nouveau président, François Hollande proclame un solennel : « *Nous avons gagné cette guerre ! Nous avons chassé les terroristes.* » À l'heure du bilan, le Mali est l'un des succès incontestables du quinquennat. Il marque aussi le virage sémantique du chef de l'État, illustré par cette sortie d'une conférence de presse à Dubaï quelques jours après le début des frappes françaises : « *Vous me demandez ce qu'on va faire des terroristes si on les retrouvait ? Les détruire !* » Oublié « Flamby » ! Disparu « Guimauve le Conquérant ! »

François Hollande va vite prendre goût à son rôle de chef des armées. Contrairement aux réformes sociales et économiques qui mettent des mois avant de voir le jour, les décisions militaires s'appliquent sur-le-champ si le chef le décide. Huit mois plus tard, le samedi 31 août, celui que certains surnomment déjà « le Faucon » est tout aussi déterminé à déclencher de nouvelles frappes. En Syrie cette fois-ci. Les Rafale français déployés en Méditerranée n'attendent plus que le feu vert présidentiel pour larguer leurs bombes sur les positions du régime de Damas. Mais à 18 h 15 sur la ligne téléphonique sécurisée du bureau présidentiel, Barack Obama bat en retraite. *« J'ai décidé d'y aller,* lui explique le président américain, *mais pas aujourd'hui. Je vais d'abord demander l'aval du Congrès. »* Lorsque François Hollande refait le film, il souligne le manque de détermination chez l'Américain. Une dérobade qui place le président français dans une situation aussi inconfortable sur le plan intérieur que sur la scène internationale. Les Français sont hostiles à une opération armée en Syrie, Cameron dépend d'un vote de son Parlement, Obama est irrésolu : le président se retrouve isolé face à une droite qui se déchaîne sur sa gestion hasardeuse du dossier. Pour un président qui cherche toujours en ce début de quinquennat à se construire une image de chef, le revirement américain est une catastrophe.

61

« *Tout était prêt. Il suffisait qu'il y ait mon feu vert et on frappait* »

« Une ligne rouge a été franchie, ce n'est pas moi qui l'ai inventée, c'est Obama lui-même sur l'utilisation des armes chimiques ! On a la preuve que le régime de Damas a utilisé des armes sur sa population. Il n'y a aucun doute. Donc j'évoque la sanction et la punition. Les Américains sont également sur cette ligne. On intensifie nos échanges, sur l'identification des cibles et le partage de l'engagement. Mais David Cameron consulte la Chambre des communes qui refuse l'engagement des Britanniques en Syrie. C'est un tournant. Je pense que cela ébranle la position américaine, ça fait réfléchir Obama. Il perd son allié traditionnel et se retrouve avec la France. Ce n'est pas ce qu'il avait prévu. Il a craint d'être emmené dans une opération limitée mais qui peut être comprise comme un engrenage. D'autant que les Russes, eux, y sont fermement opposés.

David Cameron m'appelle le vendredi après le vote de la Chambre des communes. Il me dit : "Il y a deux possibilités, soit on frappe tout de suite, soit on attend un peu." Je suggère d'attendre le G20 ou l'assemblée générale des Nations unies. "Il me dit qu'il n'est pas favorable à reporter trop loin !" Je lui dis qu'il y a aussi un rapport des inspecteurs de l'ONU qui n'est pas encore terminé. Mais il refuse, il veut accélérer. Je convoque donc un conseil de défense le samedi, pour déterminer les cibles. Tout était prêt. Il suffisait qu'il y ait mon feu vert et on frappait.

Mais lorsque j'ai Obama au téléphone le samedi soir, il me dit : "Je suis toujours aussi déterminé mais comme on n'a pas l'accord des Nations unies, que la Grande-Bretagne n'y va pas, je dois consulter le Congrès. Je n'ai pas le choix, en substance je ne suis pas George Bush." À ce moment-là, je comprends que le débat va changer de nature ici, en France. Ce n'est plus frapper ou ne pas frapper, c'est consulter ou pas la représentation nationale. Ce que je n'avais pas souhaité jusqu'ici.

Je revois Obama au G20, il me dit que le vote n'est pas acquis. C'est là que Poutine fait son pari. Il se dit que, si Obama a l'accord du Congrès, il est obligé de frapper. Mais s'il ne l'a pas, je dois lui offrir une porte de sortie. Il veut éviter les frappes. Finalement, on obtient une résolution sur la destruction des armes chimiques, mais la notion de punition est gommée. La diplomatie de Poutine l'emporte. Et l'opposition syrienne ressort affaiblie et déçue. Elle se retrouve dans la situation la pire. La conséquence de tout cela : peut-être a-t-on réglé la question des armes chimiques, mais le signe qui a été donné, c'est que les Américains ne s'engageront plus dans le règlement des affaires du monde. Ils estiment que ce n'est pas leur intérêt. C'est un changement majeur par rapport à l'hyperpuissance que l'on a connue il y a quelques années encore. Ça veut dire aussi que *la France va être amenée à jouer un rôle beaucoup plus direct qu'aujourd'hui. Je ne veux pas donner l'impression d'être "un va-t-en-guerre", mais si la France n'est pas là, il n'y a personne d'autre. »*

62

Madame

Elle embrasse, sourit, serre des mains, répond même aux questions des journalistes... Ce 15 mai 2012, dans le sillage du président élu qui salue invités et corps constitués venus assister à la cérémonie d'investiture, Valérie Trierweiler est dans son élément. Telle une souveraine recevant en son palais. Son visage et son nom sont devenus familiers à ceux qui suivent l'ascension de « François » depuis longtemps, mais la majorité des Français n'a eu que le temps de la campagne présidentielle pour identifier la compagne du nouveau président. Dans la mémoire immédiate des médias et de la politique, le nom de « Hollande » reste accolé à celui de « Royal ». Et dans le cadre du protocole compassé de la prise de fonction présidentielle, la présence de cette femme peu connue du grand public aux côtés de l'élu suscite des réactions parfois indignées. *« Plusieurs personnes m'ont appelé pendant la diffusion de la cérémonie à la télévision,* se souvient Dominique Villemot, proche ami de François Hollande. *Ils me disaient : "Mais qu'est-ce qu'elle fait là ? Ils ne sont pas mariés ! Ce n'est pas elle que les*

Français ont élue !" » Cinq ans auparavant, l'image de la famille recomposée autour du président Sarkozy et de son épouse Cécilia, avait, elle aussi, suscité des critiques. François Hollande a d'ailleurs décidé, en accord avec eux, que ses quatre enfants ne devaient pas être présents ce jour-là.

Pas de mélange entre sphère privée et sphère publique, voilà pour l'intention du début de mandat ! La suite des événements fera exploser ce plan. Quand Cécilia Sarkozy se tenait à l'écart lorsque le président saluait les invités, Valérie Trierweiler choisit de coller à son compagnon. Dans son livre, elle affirme qu'elle ne fait que suivre les instructions du chef du protocole. Mais pour les proches du président, c'est l'attitude d'une femme ambitieuse qui s'approprie ce qu'elle considère comme sa victoire autant que celle de son compagnon. « *À plusieurs reprises pendant les mois qui ont précédé l'élection, François et Valérie sont venus dîner à la maison,* raconte Dominique Villemot. *Ce qui me frappait à chaque fois c'est son degré de motivation, d'attirance pour le pouvoir. On avait l'impression qu'elle en avait plus envie que lui, que c'était elle la candidate. Le 6 mai elle a estimé qu'elle avait été élue. De la même façon, elle considérera au moment de la séparation que son départ de l'Élysée est illégitime*[1]. »

Dès les premiers jours à l'Élysée, les conseillers comprennent qu'elle n'a pas l'intention de s'effacer derrière l'élu. Elle veut sa part de lumière. Et un épisode, en apparence anecdotique, va rapidement l'illustrer.

---

1. Entretien avec les auteurs le 31 octobre 2014.

« Elle n'en a rien à foutre de l'intérêt public. À l'Élysée elle est obsédée par son image, par sa promotion personnelle. Au moment de l'affaire du Tweet, il a failli la bazarder. Mais il a un truc avec les femmes à poigne. En revanche, si Ségolène revient dans le jeu politique, au gouvernement, il aura un nouveau drame. C'est inévitable. » Nous ne sommes que quelques mois après l'installation du couple à l'Élysée et ce conseiller du président est déjà au bord de la crise de nerfs. Il est persuadé que la première dame a une influence néfaste sur la vie du Château. Convaincu, déjà, que tout cela finira mal.

Au début du quinquennat, au moment de réaliser un nouveau site internet, l'équipe web propose au cabinet du président une interface qui servira de page d'accueil. Quelques jours plus tôt, un écho, paru dans la presse opportunément, indique qu'un onglet « Première dame » sera bien en évidence dès la page d'accueil. Le chef de l'équipe internet est surpris de découvrir dans la presse une commande que personne ne lui a encore mentionnée en interne. *« Dans le projet initial, comme ce qui se fait dans toutes les démocraties occidentales, et notoirement aux États-Unis, la première dame n'apparaît qu'incidemment, au gré des photos par exemple ou des déplacements qu'elle effectue avec son mari*[1] », explique Romain Pigenel. Alors que le projet est quasiment abouti, Pigenel est informé que *« Madame veut voir le site ».* C'est le surnom donné au palais à Valérie Trierweiler. Selon la façon dont on le prononce, il souligne la méfiance ou la crainte que le personnage inspire aux conseillers.

---

1. Entretien avec les auteurs, le 11 janvier 2013.

Le chef de la cellule web s'étonne alors que la compagne exige de valider le site de l'Élysée – qui a priori ne la concerne pas – avant le président. Rendez-vous est pris. Valérie Trierweiler vient assister à la démonstration. En tête de page, plusieurs onglets permettent aux visiteurs de se déplacer au gré de leurs recherches. « Actualités », « Photos et vidéos », « agenda », « espace presse » ou encore « écrire au président ». Valérie Trierweiler détaille la page, s'interrompt, et se tourne vers le responsable du site. *« Et moi ? Je suis où moi ? »* Embarras de l'équipe qui comprend d'où venait l'écho paru dans la presse quelques jours plus tôt. C'était donc bien un ordre. Romain Pigenel s'empresse de réparer la bourde. Il propose dans la partie droite du site, vers le bas, une icône renvoyant aux activités de la première dame. *« Comment ça se passe à l'étranger ? »* interroge-t-elle.

Mal à l'aise, son interlocuteur lui détaille l'exemple d'Obama. Michelle ne dispose pas d'un « onglet » bien visible. Son nom est très discrètement inscrit tout en bas de la page d'accueil. Mais Valérie Trierweiler n'est pas Michelle Obama. *« Je veux être en haut, sur les onglets de tête de page ! Il n'y a qu'à enlever le lien "écrire au président". »* Le responsable du site web est abasourdi. Et en colère. Effacer le lien qui permet aux citoyens de s'adresser directement au président, principale vertu de ce site et outil visible de la démocratie, au nom d'un caprice narcissique, le choque profondément. Romain Pigenel quitte la réunion, blême. Il annonce à son équipe qu'il faut refaire la page d'accueil. Et il faut s'exécuter dans le plus grand secret. Si l'épisode venait à fuiter dans la presse alors même que l'image de l'intéressée est déjà passablement abîmée, on risque simplement « de se faire virer ». Dans le même temps, Romain Pigenel alerte les communicants du président. *« C'est fou de faire ça ! On va se faire allumer ! »*

Les états d'âmes de la cellule internet commencent à faire des vagues. Quelques jours plus tard, Romain Pigenel est à nouveau convoqué. *« Madame n'est pas du tout satisfaite du site comme tu l'as constaté, et maintenant le président veut le voir ! »* l'alerte-t-on. *« On était tétanisé, paniqué,* se souvient Pigenel. *Dans l'urgence, je décide de rester sur l'idée initiale : une page d'accueil avec un renvoi en bas de la page vers les activités de la première dame. Si le président tique, je lui expliquerai qu'il existe une deuxième version avec un onglet* première dame *en haut. »* La réunion a lieu dans le bureau du président. Valérie Trierweiler est absente. François Hollande connaît bien le chef de la cellule internet pour l'avoir fréquenté dans les arcanes du parti socialiste. Il ne l'a pas revu depuis la campagne et il est visiblement heureux de le retrouver. Un peu nerveux, le jeune homme débute la démonstration. Au bout de quelques minutes, le président, concentré, lâche la phrase tant redoutée : *« Oui, c'est très bien. Mais où est Valérie ? – Elle est en bas, monsieur le président, juste ici. On clique et cela renvoie à sa page personnelle »,* explique Pigenel. Un conseiller s'empresse d'ajouter, inquiet : *« Mais on peut bien sûr la remonter plus haut. Il existe une autre version du site qui la met plus en valeur. »* Silence. *« Non non, elle est très bien là où elle est ! »* tranche le président avec humour.

Ce président moqueur s'est pourtant longtemps

affiché bienveillant et indulgent avec elle. Même après l'affaire du « Tweetgate », qui avait vu Valérie Trierweiler soutenir publiquement l'adversaire de Ségolène Royal aux législatives à La Rochelle en 2012, il avait refusé de la condamner devant nous. « *Valérie, elle a perdu une partie de son activité professionnelle, une partie de ses relations professionnelles. Dans son journal, elle est devenue un objet de polémique, avec beaucoup de violence. Elle n'était pas du tout préparée à ça. En politique on est préparé à tout, aux mensonges, aux caricatures, aux trahisons. Mais vous, journalistes, vous n'êtes pas préparés. Vous savez ce que la politique peut générer mais vous n'imaginez pas ce que ça peut être sur vous, sur vos enfants, sur votre vie de famille. C'est vraiment une épreuve. Et d'ailleurs au moment de la passation de pouvoirs avec Nicolas Sarkozy, le seul moment de vérité, c'est quand il me dit : "La vie privée, ça a été très dur, surtout pour Carla." Il me dit ça quand on est en tête à tête. Il ne parlait pas de sa séparation d'avec Cécilia mais des rumeurs sur internet, sur les enfants. Et c'est vrai. Personne n'imagine en venant ici que ça va être aussi violent.* » Même prévenu par son prédécesseur, le président en convient : « *Je n'imaginais pas que cela bouleverserait à ce point ma sphère intime.* » François Hollande, qui parle souvent au téléphone avec son fils Thomas, se ménage des moments avec les siens. À l'Élysée parfois, ou au domicile de son fils aîné. Mais jamais en présence de Valérie Trierweiler. Quand les enfants viennent voir leur père à l'Élysée, elle n'est pas conviée à leur table.

Après avoir défendu celle qui est à l'époque toujours « première dame », le chef de l'État s'autorise ce jour-là un dégagement sur la victime… Ségolène

Royal, la mère de ses quatre enfants. « *Ségolène Royal, dans la période, elle a été bien. Digne, discrète. Et bienveillante au sens politique du terme. Pas de déclaration qui ait gêné, à aucun moment. Franchement, elle aurait pu se mettre dans une posture plus dure après sa défaite à la primaire et à la législative perdue à La Rochelle. Elle aurait pu être extrêmement froissée, rebelle, revancharde. Elle ne l'a pas été du tout. Elle a été loyale, bienveillante, dévouée à la cause. Cherchant à servir par ailleurs* [rires]. *Si elle peut devenir ministre ? Il n'y a pas d'interdit ! Je lui dirais quoi ? Sous prétexte que nous avons eu quatre enfants ensemble, voilà, tu ne pourras jamais avoir de responsabilité dans le pays ?! Rien n'est impossible !* » Il le prouvera en la nommant numéro trois du gouvernement en avril 2014, quelques semaines après le départ de Valérie Trierweiler.

Avec cette nouvelle donne à l'Élysée, un autre intime du président fait son retour au château. Julien Dray, banni de l'époque Trierweiler, est devenu un visiteur régulier du palais depuis son départ. Il pousse souvent la porte de son vieil ami le dimanche, en fin d'après-midi, pour parler politique et stratégie. Jean-Pierre Jouyet, le secrétaire général, le fait venir aussi fréquemment pour de courtes réunions sur des sujets précis. « *Juju* » est de retour à la cour. Avec une valeur ajoutée aux yeux du président : il est l'un des seuls à l'engueuler sans aucune retenue quand il juge que *« François est en train de faire une connerie »*. Longtemps proche du couple Hollande-Royal, copain de vacances, arrangeur de coups en douce, principal organisateur de la campagne de Ségolène en 2007, il est un de ceux qui connaît le mieux la psychologie du président. Et s'il le soutient en cette délicate fin d'été 2014, il s'autorise aussi à porter un jugement sévère sur la façon dont François Hollande a laissé pourrir sa relation de couple. « *Il a mal géré Valérie* », assène-t-il froidement quelques semaines après la parution du livre de l'ex. « *Leur relation s'était déjà dégradée à l'été 2011*, poursuit-il. *À l'époque, il pense à la séparation, mais la bien-pensance lui dit : "Tu ne peux pas aller à l'Élysée sans avoir une femme à tes côtés." Une fois à l'Élysée, c'était trop tard. Quand Valérie tweete son soutien à l'adversaire de Ségolène Royal aux législatives, François hésite à nouveau. Mais il est obsédé par la comparaison avec Sarkozy ! Il ne veut pas reproduire la séparation d'avec Cécilia du début de quinquennat de Sarko !* » Julien Dray ajoute une raison supplémentaire aux hésitations de son ami : « *Il ne voulait pas la virer parce qu'il en a peur.* » François Rebsamen, proche de François Hollande, confirme : « *C'est elle qui portait la culotte, c'était toujours elle d'abord et lui ensuite, elle a plombé son image et ça laissera des traces.* »

63

Esprit Canal

« *Je vous ai fait lever tôt, non ?* »

Il est un peu plus de 8 h 30 ce 12 septembre 2015 quand François Hollande débarque dans le salon d'attente et nous invite à rejoindre son bureau.

Posée sur la table basse à côté du siège où il s'assoit lorsqu'il reçoit ses visiteurs, une place pour le match d'ouverture de l'Euro 2016 de football offerte quelques semaines plus tôt par Michel Platini.

« *C'est votre place ?* »

Comme d'habitude, la réponse est à double entrée, délivrée dans un grand éclat de rire : « *Oui, c'est ma place ! Celle-là, au moins, elle est acquise...* »

L'autre place, la seule qui compte vraiment à ses yeux, est en revanche loin de l'être. Selon les derniers sondages, à moins de deux ans du scrutin, Hollande reste bloqué à la troisième place au premier tour de la présidentielle. Scotché autour de la barre des 20 %, il est toujours éjecté du second tour par Nicolas Sarkozy et Marine Le Pen. L'inversion de la courbe du chômage promise lors d'un journal télévisé de TF1 il y a trois ans, presque jour pour jour, n'est toujours pas amorcée, sa cote de popularité ne décolle pas, mais en cette fin d'été l'ex-monsieur 3 % est optimiste. Comme d'habitude. Il en est certain, les signaux sont au vert, l'emploi va repartir et son come back dans le haut du classement de popularité des politiques est pour bientôt.

Il y a en revanche une chose qui semble l'inquiéter ce jour-là. C'est la mainmise de la droite et des amis de Nicolas Sarkozy sur les médias privés à dix-huit mois de la bataille présidentielle. Même Canal+, chaîne créée trente ans plus tôt par des proches de Mitterrand, vient de passer à l'ennemi.

François Hollande revient sur le cas particulier de Vincent Bolloré. Quelques semaines auparavant, le milliardaire breton avait demandé audience au chef de l'État pour évoquer un sujet crucial pour sa chaîne et pour son groupe : les droits de retransmission du festival de Cannes. Assis à notre place, le boss de Vivendi était venu plaider sa cause pour éviter que le plus grand festival de cinéma au monde ne finisse dans l'escarcelle de France Télévisions.

64

« *Bolloré, c'est un pirate* »

« *Le paysage médiatique bouge : Patrick Drahi avec Alain Weill qui sera responsable de tous ses médias. Bolloré, qui éradique tout ce qui pouvait être esprit contestataire, à commencer par Les Guignols... Lagardère, Bouygues, Dassault...*

Je pense qu'il faut se méfier de Bolloré. Mais pas simplement politiquement. Ceux qui ne s'en sont pas méfiés sont morts. C'est un pirate. Et c'était vrai ce qui a été dit sur les animateurs. Quand Bolloré est venu me voir, il m'a dit : "On va reprendre Le Grand Journal, Les Guignols ça deviendra une émission internationale." Puis il me dit qu'il va faire venir une nouvelle génération de comiques : Dany Boon et Arthur ! Comme il a un physique plutôt moderne, Bolloré, plutôt beau garçon, on ne le voit pas venir mais c'est un catho intégriste en réalité ! On pourrait penser qu'il a nommé Guillaume Zeller [le nouveau patron d'I-Télé, la chaîne info du groupe Vivendi, réputé proche des milieux catholiques conservateurs] *sans faire attention, mais non ! Bolloré est sur la ligne de Zeller ! C'est un catho intégriste, qui reproche à Canal non pas d'être à gauche, mais de ne pas être sur ses valeurs à lui. Il reproche à Canal d'attaquer le pape, la religion, etc.* »

65

Hollande bashing

Cela fait un peu plus d'un an presque jour pour jour que nous ne l'avons plus vu en tête à tête. La dernière fois, c'était le 17 avril 2012, quelques jours avant le premier tour. Dans son QG de l'avenue de Ségur, le candidat était serein, détendu, prudent mais quasi certain de sa victoire. Un an plus tard, il est déjà entré dans l'Histoire. président de la République le plus impopulaire après douze mois de règne. Comment allons-nous le retrouver ? Le président est-il déprimé ? L'homme a-t-il changé ?

Dans l'antichambre, les huissiers chuchotent entre eux. La porte du salon vert s'ouvre. François Hollande accueille lui-même ses visiteurs. Ce 1er mai 2013, les défilés réveillent tranquillement la capitale. Le FN converge place de l'Opéra. Les syndicats, en ordre dispersé, entraînent des cortèges peu fournis. À gauche, la crise a rendu les plus vindicatifs résignés.

« Bonjour, messieurs, désolé de vous faire travailler un jour férié ! »

Le président pose son regard sur la table basse

275

où se trouvent nos cafés et *Le Monde.* En une, une photo de lui, costume et cravate sombre, devant des rideaux en velours couleur rouge sang. Et un titre assassin pour fêter cette première année au Château : « *Hollande, l'année terrible* ».

(Sourire) « *Ils me loupent pas en ce moment. Suivez-moi, on va en parler... »*

66

« Je ne m'attendais pas à un état de grâce, mais là j'ai eu un état de glace »

« Cette première année est intéressante même du point de vue médiatique. C'est parti très fort, très tôt. Il y a sans doute eu commercialement une nécessité pour les médias d'hystériser le débat parce que l'électorat de droite était chaud. Il n'a jamais désarmé. La victoire a été encore plus courte que prévu, elle a rendu l'électorat de droite encore plus furieux, plus frustré. S'il y avait eu 53 ou 54, et en face 47 ou 46, le choc aurait été fort et aurait été double : la défaite et son ampleur. Là ils se sont dit "on aurait pu gagner" et du coup on leur a paru illégitime.

Au début du mois d'août, je pars en vacances et au bout de trois ou quatre jours, ils [la droite] commencent à nous faire le double procès : "La Syrie c'est très grave et il ne fait rien !" Sarkozy se fait appeler par le président du conseil national syrien qui est un personnage totalement inexistant, puis il sort un communiqué. Fillon fait une déclaration sur le thème "il faut que François Hollande aille à Moscou, aille chercher Mme Merkel et mette fin à la tragédie du peuple syrien", et la presse embraye : "C'est vrai, qu'est-ce qu'il fait ? Pourquoi il ne traite pas la Syrie ? Souvenons-nous de Sarkozy et de la Libye…" Bernard-Henri Lévy fait une tribune.

277

Et puis il y a un second sujet ; les statistiques sur la croissance qui sont moins bonnes que prévu, et là aussi on dit : "Mais pourquoi il ne rentre pas ?" Il y a Taubira qui fait une interview sur les centres d'éducation fermés, rien de grave, mais tout de suite polémique, quasiment un couac !

Je ne m'attendais pas à un état de grâce, mais là j'ai eu un état de glace. Aucune indulgence comme il en existe normalement dans les périodes d'alternance. Rien. Et à ce moment-là, les unes de magazine embrayent. Le Nouvel Obs, *début septembre : "Sont-ils si nuls ?",* Le Point, *début août 2012 : "La France danse sur un volcan."* L'Express, *fin août : "Les cocus de Hollande", ou* Le Point *: "On se réveille ?" Je m'en suis bien sûr inquiété, mais pas alarmé. J'ai constaté que ce ne serait pas simple. Est-ce que c'est l'époque qui voulait ça ? Il y avait eu une violence de Sarkozy et contre Sarkozy à l'époque, et donc il fallait sans doute en passer par là. Il y avait une forme de purge.*

Peut-être que ce que certains n'ont pas compris, c'est que le besoin d'apaisement, de calme, de distance, n'était pas une relégation du rôle majeur du président de la République. Il n'y avait pas besoin de saturer l'espace pour être pleinement président. C'était en tout cas mon point de vue. Mais je pense que beaucoup de commentateurs et sûrement un certain nombre de Français considèrent que, s'il n'y a pas saturation de l'espace, il n'y a pas de commandement.

Je crois que le système médiatique est tel aujourd'hui que ce qui était encore possible il y a quelques années, c'est-à-dire le contrôle assez précis des textes, des décisions à prendre, est devenu impossible. D'abord les mentalités ont considérablement changé. Et il y a une démultiplication des sources. Exemple : il suffit que je me balade dans la rue et qu'un type me lance "T'es pas assez à gauche" et ça finit sur une chaîne

278

d'info. *Je suis sûr que Mitterrand lorsqu'il se baladait tout seul, ça lui arrivait aussi. Mais il n'y avait pas de caméras. Il allait très souvent dans la Nièvre, et il n'y avait pas de chaînes d'information pour le suivre. Ça n'existait pas. À Paris, il circulait, et il n'y avait personne derrière lui, pas même un photographe. Aujourd'hui ce n'est plus possible. Une phrase, un mot, un échange, tout est sur Twitter. C'est comme ça.* »

67

Le désamour

« Monsieur le président, nous concevons que le quota de journalistes soit atteint pour cette semaine mais nous aurions besoin de vous voir un moment ce week-end pour continuer notre travail... » Le téléphone vibre quelques minutes plus tard. *« Oui, samedi. Je fais la distinction entre les uns et les autres... »*

Cinq jours plus tôt, la sixième conférence de presse de François Hollande depuis son arrivée à l'Élysée avait marqué un tournant dans l'histoire d'amour entre le président et les journalistes. D'ordinaire souriant, chaleureux, prêt à discuter pendant des heures avec les chroniqueurs politiques, il était apparu plus froid, sec, agacé par leurs questions. Trois ans plus tôt, au début de son règne, il épuisait les journalistes et renvoyait la balle du fond de court pendant des heures. Cette fois-ci, en septembre 2015, après avoir annoncé des vols de reconnaissance en Syrie et l'accueil de vingt-quatre mille réfugiés en France, il avait donné le sentiment de vouloir en finir au plus vite et avait expédié les dernières questions dans un mélange de lassitude et d'autoritarisme. *« C'est la dernière question, dépêchez-vous ! ; Je vous dis : à la prochaine conférence pour d'autres questions... qui peuvent parfois ressembler à celles qui ont été posées aujourd'hui.* » Puis Hollande avait tourné les talons et regagné son bureau au pas de charge, comme si l'exercice ne l'amusait plus.

68

« *Il ne faudrait pas répondre* »

« *Je vois bien comme "vous êtes". Je prends un exemple :
on envoie les journalistes politiques couvrir l'inauguration
de l'exposition de Pierre Soulages. Enfin franchement ! La
chaîne d'information en continu envoie un journaliste politique sur Soulages. Un grand succès international ! La
fierté de la France, un grand peintre vivant... Mais ça
n'intéresse que trois minutes ! Et tout de suite : "Alors, la
réforme territoriale ? Qu'est-ce qu'il va se passer ? Y avait-il
du monde ? Est-ce qu'il a été sifflé ?" C'est dément ! Le
journaliste de BFM doit tenir l'antenne et les rédactions
derrière embrayent. C'est fou ! Le temps est condensé et accéléré. Face à ce temps accéléré, il peut y avoir deux attitudes.
Soit je contribue moi-même à l'accélération, j'en fais, j'en
fais... Et je suis usé par les vagues successives. Ou alors,
j'instaure un phénomène de rareté quasi impossible à tenir.
Aujourd'hui, je vais à Tulle, puis je vais aller à Andorre
cette semaine, avec derrière moi les chaînes d'information
qui n'ont plus aucune barrière pour accéder à moi. Je suis
forcément amené à parler. Je me souviens encore de Chirac
instaurant un système de corde derrière laquelle les journalistes étaient maintenus. Aujourd'hui on mettrait des*

cordes, on nous dirait : "Non mais qu'est-ce que vous faites là ?!" Merkel le fait encore ! Mais nous, on ne peut plus le faire. Et donc vous vous retrouvez avec la fille du Petit Journal qui est là et qui vous apostrophe. Vous ne répondez pas une première fois, vous vous détournez et puis elle revient et vous finissez par lui répondre. Il ne faudrait pas répondre.

Il y a des époques où on aurait dit aux policiers, aux motards de faire barrage. Aujourd'hui, on est dans une autre époque de traitement de la presse. Pendant douze ans, Chirac s'est rendu en Corrèze sans que personne ne pose la question de savoir comment il se déplaçait. Personne. Ce n'est pas parce qu'il était protégé. Ou qu'il y avait une indulgence. C'est parce que les temps ont changé. On est devant une forme d'"anecdotisation" de la vie politique. Je prends un autre exemple qui peut faire sourire. Lorsque je reçois Obama à Paris en marge des célébrations du 6 juin. Ce qui intéresse les journalistes, ce n'est pas ce qu'on s'est dit, c'est le menu ! Qu'est-ce qu'on nous a servi à manger ?! Il se trouve que lors du dîner j'évoque les négociations en cours sur les accords commerciaux entre l'Europe et les États-Unis. On est précisément entre le plat et le dessert. Kerry me parle des appellations contrôlées. Je me dis, bon, on a le temps, on va prendre du fromage. J'appelle le serveur pour qu'il apporte du fromage et après les journalistes reprennent en expliquant qu'Obama lui-même en a commandé... Il n'avait rien demandé Obama ! Mais voilà, c'est comme ça. Je ne crois pas qu'il faille en vouloir à qui que ce soit. Il faut en tenir compte. Faire attention à tout. Dans ce contexte, rester président, se "présidentialiser", est plus compliqué. Est-ce que je dois cultiver la rareté ? Être absent ? Mitterrand

*pouvait être absent. Mais aujourd'hui ? L'agenda est tel,
l'accélération du temps est telle que c'est devenu impossible.
Alors il faut s'inscrire dans des moments plus lourds. Non
pas essayer d'arrêter la machine, c'est impossible, mais ne
pas l'alimenter. »*

69

Valls, loyal jusqu'où ?

Nicolas Sarkozy chevauchant sur un cheval blanc
dans le décor hollywoodien de la grande plaine camarguaise, les rênes dans la main gauche, la main droite
sur la hanche façon cow-boy, comme s'il caressait la
crosse d'un revolver. Chemise à carreaux rouges et
Ray Ban sur le nez, sourire assuré, le ministre de l'Intérieur pose, conquérant, devant les journalistes. En
ce mois d'avril 2007, il galope vers la présidentielle
avec l'assurance du vainqueur.

Chemise blanche col ouvert, pantalon noir, Manuel
Valls s'avance vers un jeune taureau maintenu à terre
dans le décor hollywoodien de la grande plaine...
camarguaise. Le ministre de l'Intérieur domine l'animal et le marque au fer rouge d'un sigle *« P »*. Comme
président ? *« Comme Pierre, le propriétaire de la manade »*,
se dégage Valls. Ce 13 juillet 2013, la star des sondages – 70 % d'opinions favorables dans le baromètre
mensuel de *Paris Match* – convie la presse à Vauvert
pour y délivrer un grand discours sur le réformisme
de gauche. Grisé par une popularité record qui le
sacre personnalité politique préférée des Français,

Manuel Valls choisit la veille de la fête nationale pour se mettre en scène en super-héros du gouvernement affichant crânement ses ambitions. On se remémore encore Nicolas Sarkozy ministre de l'Intérieur, convoquant lui aussi la presse pour une « contre-garden-party » un 14 juillet, et comparant Jacques Chirac à Louis XVI au crépuscule de son règne, absorbé par sa passion des serrures et sourd à la colère de son peuple.

Depuis le début du quinquennat, la relation entre Hollande et Valls oscille entre méfiance et confiance, entre loyauté et rivalité. Deux ambitieux qui se côtoient depuis longtemps mais qui au fond se connaissaient mal. À la fin des années quatre-vingt-dix, quand l'un prenait le PS, l'autre débarquait à Matignon auprès de Jospin. Dans les années 2000, quand le premier secrétaire faisait campagne pour le oui au référendum européen, l'autre votait non lors du scrutin interne. Plus tard, quand l'un tentait de contrôler les egos des dirigeants socialistes, l'autre se construisait une image de franc-tireur souvent à la marge du parti. Il a fallu la primaire de 2011 et le ralliement express de Valls au soir du premier tour pour que les deux hommes se découvrent. Et puis tout est allé très vite : directeur de la communication omniprésent pendant la campagne, ministre de l'Intérieur ultrapopulaire, premier ministre inévitable.

Mais quelques mois après ce mariage de raison viennent déjà les premières tensions. Le président n'est pas du genre à formaliser ses reproches, mais dans les nombreux entretiens qu'il nous a accordés durant les mois précédant sa nomination, il insistait déjà sur un premier ministre « *imposé par une situation politique et sondagière, et non par choix ou proximité* ». Sans que cela éclate aux yeux de l'opinion, leur relation s'est en réalité très vite refroidie.

En ce début d'automne 2014, François Hollande est déçu par Manuel Valls. Montebourg, Hamon et Filippetti ont quitté le navire suite au désastre de Frangy. Cette crise gouvernementale, il en attribue une large part à celui qui a succédé à Jean-Marc Ayrault à Matignon pour relancer le quinquennat. Un premier ministre en mode kamikaze, accusé par son président de noircir sans cesse l'horizon et de trop jouer les rapports de forces, comme lorsqu'il va crier son amour de l'entreprise au Medef deux jours avant l'université d'été du PS à La Rochelle ! Mais pour le chef de l'État, il a surtout failli dans sa tâche principale : au lieu de rassembler la majorité, il l'a fracassée, et elle est aujourd'hui réduite à une tête d'épingle.

Trois mois plus tard, le matador de Matignon commet aux yeux du patron une faute de plus ! Le 23 octobre, dans la foulée d'une rentrée cauchemardesque, Manuel Valls apparaît en une de *L'Obs*. Regard fixe, presque menaçant dans une posture très narcissique, il lance la nouvelle formule du célèbre hebdomadaire. Longue interview en pages intérieures, dans laquelle le chef de la majorité s'en prend à « *la gauche passéiste, celle qui s'attache à un passé révolu et nostalgique, hantée par le surmoi marxiste et par le souvenir des Trente Glorieuses* ». Pour le président, qui découvre le verbatim avant parution, c'est une grave erreur. Le premier ministre, en garant de la majorité, est censé batailler contre la droite. Pas contre la gauche ! Dans le même entretien, Valls appelle carrément à changer le nom du PS ! Crime de lèse-président pour un homme qui a dirigé le Parti socialiste pendant plus de dix ans. *« Le président a été très irrité, le mot est faible »*, confie un de ses plus proches amis. *« Valls joue trop perso »*, a-t-il déclaré en petit comité. En ce début d'automne 2014, les relations sont telles que président et premier ministre ne masquent plus leurs divergences. Manuel Valls veut revoir les allocations-chômage pour en durcir le régime. *« Une connerie ! »* balaye-t-on à l'Élysée, ce n'est ni le moment ni la priorité. C'est dans ce contexte tendu que François Hollande va faire preuve d'une violence à laquelle Valls ne s'attendait pas.

Octobre 2014 : dans le jardin d'hiver de l'Élysée, devant les tentures rouge sang qui ferment les arcades, Manuel Valls prend la pose, la poitrine ceinte du grand ruban bleu ciel de la Grand-Croix de l'ordre national du Mérite. C'est la tradition, six mois après l'arrivée d'un premier ministre à Matignon. Blotties contre lui, les deux femmes de sa vie. À son bras gauche, son épouse, la violoniste Anne Gravoin. À son bras droit, le regard plein d'admiration, sa mère, Luisa Valls. Un quatrième personnage complète cette photo de famille. Le président de la République y apparaît souriant, les deux bras le long du corps.

Pour le fils d'immigré espagnol qui croit plus que tout au mérite républicain, le moment est particulier. Mais le premier ministre a le regard sombre et la mine crispée des mauvais jours. Quelques instants plus tôt, devant le gouvernement assemblé, Manuel

Valls a vécu comme une humiliation le discours du président censé être l'hommage du décorant. François Hollande retrace le parcours de Clemenceau, la référence politique principale du premier ministre, pour établir un parallèle entre leurs parcours. Mais l'hommage tourne à la petite leçon de politique. *« Vous l'avez choisi* [Clemenceau], *car vous aimez la controverse, à condition qu'elle soit facteur de débat, de contradiction et en même temps de synthèse. C'est très important qu'il y ait des hommes de synthèse dans la République. C'est très important dans les références que chacun peut avoir. »* C'est à lui-même que François Hollande sert le compliment. Lui, l'homme de la synthèse, capable de rassembler et d'apaiser quand ceux qui aiment la controverse préfèrent allumer des feux. Le premier ministre, sourire crispé, acquiesce. Ce n'est jamais très agréable de se faire sermonner devant ses ministres et devant les journalistes. Car, fait exceptionnel, le président de la République a, pour la première fois et contre tous les usages, décidé d'ouvrir cette cérémonie traditionnelle de décoration du premier ministre à la presse.

Le perfide hommage se poursuit, toujours sur les pas de Clemenceau, cet homme au *« si long parcours »*, glisse François Hollande. *« Ce qui vous laisse grand espoir »*... Cette fois c'est l'impatience d'un Manuel Valls sanguin et pressé que le président tempère. La succession n'est pas encore ouverte. Mais le plus saignant est pour la fin. Parlant toujours du modèle politique de Valls, François Hollande poursuit : *« Il n'est pas devenu président de la République, mais on peut réussir aussi son existence sans être président de la République. »* Dans l'assistance on rit sous cape. Valls, lui, ne rit pas. Son ambition assumée est brutalement rabaissée par un Hollande qui souligne l'écart qui les sépare. Lui a conquis le pouvoir, « Manuel » a beau se battre, le président ne croit guère en lui. Et il s'en moque devant les deux femmes de sa vie, les ministres et tous ceux qui voudront en rire devant leur poste de télévision. Plus d'un an et demi après, Manuel Valls n'a toujours pas pardonné. *« J'ai trouvé que le président de la République n'aurait pas dû faire ce qu'il a fait. Jouer avec Clemenceau. J'ai trouvé que ce n'était pas correct. »* Cette scène, c'est le premier ministre, de lui-même, qui l'évoque lorsqu'il revient sur le quinquennat, au cas où ses interlocuteurs l'auraient oubliée ou passée sous silence. Lui n'a pas oublié. Il n'aime pas ce Hollande-là et il le dit.

L'ambition dévorante de Valls le populaire à côté d'un président affaibli qui n'a de cesse de rappeler habilement les rapports hiérarchiques : tout était fait pour que ce couple-là explose. Il aurait d'ailleurs pu. *« Il y a un moment où j'ai failli partir, pas comme premier ministre, mais quand j'étais à l'Intérieur. Si j'avais été désavoué sur le dossier Leonarda, je partais. Mais à Matignon, non »*, confie d'abord le premier ministre, avant d'avouer la vraie raison de ce mariage plus durable que prévu. *« Ce qui est vrai, c'est que l'année 2015 m'a changé dans le sens où je considère qu'il y a des choses importantes et d'autres qui le sont moins. Ce n'est pas une attitude ou une posture. Sans doute, à un moment, les enquêtes d'opinion m'auraient davantage préoccupé. Mais aujourd'hui, je suis assez distancié par rapport à ça. Je ne me vois pas mettre ma personne au milieu de tout cela. Si j'avais le sentiment d'un désaccord profond* avec le président… Mais ça n'est pas le cas. Ce qui nous lie, lui, Bernard Cazeneuve et moi, ce sont les attentats de janvier et de novembre. C'est comme ça. C'est pour ça que je suis assez serein. S'il n'y avait pas eu les attentats, nos rapports auraient été très différents. Quoi qu'il arrive, cette année 2015 nous lie. »

70

Les héritiers

« *Ma marque, elle est là et elle est là durablement, à moi de la conforter.* » Manuel Valls, en cette mi-novembre 2015, tente une démonstration de force devant une dizaine d'éditorialistes qui le décrivent depuis des semaines comme un premier ministre asphyxié. Coincé entre un président qui incarne les sujets régaliens et un ministre de l'Économie, Emmanuel Macron, qui incarne désormais la réforme, la jeunesse et la modernité.

Pourquoi reste-t-il ? Combien de temps restera-t-il ? Les journalistes attablés autour de lui insistent. « *Si je pars, je provoque une crise. Si je reste et que François Hollande perd la présidentielle, je suis cramé...* » Le choix n'en est pas vraiment un. Puis la démonstration de force reprend : « *Je suis premier ministre ! Je ne suis pas traité comme l'a été Fillon, ni même comme Jean-Marc Ayrault ! J'ai une vision de la société française. À mon arrivée, j'ai posé un diagnostic et j'ai fait évoluer la gauche : autorité et social-réformisme.* » François Hollande n'y serait pas pour grand-chose. Manuel Valls défend son bilan. Et se projette. « *2017 ? Si Hollande*

ne se représente pas ? Oui c'est une idée que je caresse[1]. »
Ce jour de novembre, il donne le sentiment à tous les observateurs de chercher un prétexte pour se différencier, aller au clash, et sortir de cet enfer de Matignon qui grignote chaque jour un peu plus sa singularité. Mais le prétexte ne viendra jamais et les attentats qui frappent Paris et Saint-Denis quelques jours plus tard doucheront ses velléités de départ.

Le massacre aura aussi raison dans un premier temps des ambitions personnelles du jeune ministre de l'Économie. Prévue initialement à l'automne, la « *marche* » d'Emmanuel Macron est finalement remise à plus tard, mais la rivalité entre les deux « héritiers » est déjà installée. De l'Élysée, en surplomb, le président observe le match. Ses proches comptent les points en coulisse et l'informent en particulier des baisses de moral de son protégé. « *Avec les attentats, Manuel Valls reprend l'avantage sur Macron au moment où il était en train de disparaître* », témoigne un très proche de François Hollande. La sécurité, la République, la fermeté : l'ex-ministre de l'Intérieur reprend la main, fermement. Emmanuel Macron peut remballer ses coups d'éclat et ses déclarations chocs. Manuel Valls joue de la situation. Devant ses ministres, le matador de Matignon moque l'insolente popularité de l'apôtre du « *ni droite, ni gauche* ». Lors d'un séminaire gouvernemental, il lâche : « *On doit faire des réformes de gauche, qui parlent à la gauche, hein, Emmanuel ?! La gauche, tu vois ce que c'est ?!* » Ironisant sur la barbe du ministre de l'Économie à son retour de vacances : « *Tu devrais*

---

1. Entretien avec l'un des auteurs, 10 novembre 2015.

peut-être partir en cellule de déradicalisation ? » En pleine séance de questions au gouvernement à l'Assemblée nationale, devant les ministres sidérés, il attaque encore : « *Tu finiras ministre des Relations avec le Parlement, Emmanuel, tu vois ce qui t'attend ?! »* Et Macron de répondre : « *Si tu me files la circonscription qui va avec, je prends ! »* Le ministre de l'Économie donne le change, mais supporte mal ce tir nourri. « *C'est une humiliation quotidienne »,* se plaint-il un jour par SMS auprès d'un élu qui a l'oreille du président, comme pour faire passer le message à François Hollande. En politique, il faut apprendre à encaisser, la complainte d'Emmanuel Macron est vaine. Au lendemain du remaniement de février qui le fait rétrograder dans l'ordre protocolaire du gouvernement, le ministre de l'Économie décide d'expédier les affaires courantes à Bercy et se consacre désormais à créer son propre mouvement. Un pas de plus vers l'émancipation qui exacerbe sa rivalité avec le premier ministre.

Le mardi 10 mai 2016, les caméras de France 3 saisissent une scène surréaliste : une engueulade en direct sur les bancs du Palais-Bourbon ! Le député de droite Georges Fenech vient d'interpeller le ministre de l'Économie sur son voyage à Londres quelques jours plus tôt. *Paris Match* affirme qu'Emmanuel Macron a profité de ce déplacement pour participer à une levée de fonds pour son nouveau mouvement politique, ce qui pourrait alimenter une polémique. La mâchoire serrée, le premier ministre se lève et s'empare du micro pour répondre à l'opposition tout en taclant son rival : « *Ce que je souhaite [...] c'est que les membres du gouvernement soient pleinement et totale-*

ment engagés dans leurs tâches. Parce qu'il y a une crise politique, parce qu'il y a en effet aujourd'hui une mise en cause des responsables politiques et depuis longtemps, parce qu'on s'attaque aux corps intermédiaires, parce qu'on sape même les fondements de la République, chacun doit être exemplaire. » Mais le recadrage ne s'arrête pas là. À peine assis, Manuel Valls s'en prend au ministre de l'Économie, qui donne sur les images le sentiment de se défendre comme un petit garçon pris en faute par son père ou son grand frère.

Et le président dans tout cela ? Au plus fort de la polémique sur la loi travail, il semble désigner les deux coupables : *« Dans ce jeu subtil, la compétition réformatrice à laquelle se livrent Manuel Valls et Emmanuel Macron, cette échelle de perroquets, "j'en rajoute une de plus, non c'est moi", alourdit considérablement la manœuvre ! J'ai subi cette pression. »* Une confidence qui sonne comme un aveu. Comme si l'homme de la synthèse à gauche avait été dépassé par le tropisme libéral des deux hommes forts qu'il a lui-même installés au pouvoir.

71

« *Il ne faut pas sous-estimer*
l'expérience politique de Valls »

« *La fonction de premier ministre fatigue beaucoup. L'économie est désormais incarnée par Emmanuel Macron, ce qui a pu contrarier Manuel. Il a ensuite une difficulté à retrouver une place quand le président est forcément au premier rang sur l'autorité, le régalien. D'autant que le ministre de l'Intérieur, Bernard Cazeneuve, occupe pleinement sa fonction. Manuel aime bien être "un chef de guerre" et il aurait sans doute aimé le faire davantage. Mais la fonction de premier ministre est ingrate. Il cherche des sujets pour être en première ligne : par exemple, être celui qui s'oppose au Front national, c'est son combat. Il l'avait fait aux départementales, il l'a refait aux régionales. Cela correspond à ses valeurs. Deuxièmement, le dialogue républicain, la concorde, ça lui plaît et c'est bien de le faire vivre. Recevoir les groupes parlementaires, les présidents de région… Je ne crois pas qu'il souhaite quitter Matignon si c'est la question qui est posée. Il peut se dire qu'il sera le prochain présidentiable après moi, y compris si je perds en 2017. Qui a-t-il comme concurrents ? Anne Hidalgo ? Benoît Hamon ? Arnaud Montebourg ? Franchement, il aura démontré, quel que* » *soit le résultat de la présidentielle, qu'il a été à la hauteur pendant trois ans.*

Valls est loyal, je le dis souvent, mais je lui dis deux choses : "N'ouvre pas tous les feux en même temps et ne sois pas humiliant." À cet égard, l'exemple de Christiane Taubira est intéressant. Elle part en bons termes avec moi, mais Valls, lui, prononce le mot de trop : "Résister c'est affronter la réalité." Si je suis candidat, Taubira me soutiendra, parce que j'y ai fait attention. C'est très important, les rapports humains.

Revenons à la comparaison entre Valls et Macron. Il ne faut pas sous-estimer le parcours du premier. Dans cette génération, Valls est celui qui a la plus grande expérience politique. Il a commencé très tôt. C'est un enfant de la politique. Dès son plus jeune âge, il est rentré dans les arcanes du PS, de la gauche. Député, maire, dirigeant du parti, porte-parole de Lionel Jospin à Matignon. Aujourd'hui, il est premier ministre. C'est un passage qui crée un rapport au pouvoir très intense. Cela lui donnera de toute façon, dans les années qui viennent, un avantage par rapport à d'autres. Même si, bien sûr, beaucoup de premiers ministres ne sont pas devenus présidents. Mais regardez ce qui se joue à droite : Juppé comme Fillon, c'est parce qu'ils ont été premiers ministres qu'ils peuvent prétendre à la présidentielle.

La deuxième différence entre Valls et Macron, c'est que si Manuel a pu être transgressif dans le passé sur l'économie, ce n'est pas sur ce thème qu'il a bâti son identité politique. Il a une identité "républicaine", au sens chevènementiste. C'est un social-républicain plus qu'un social-libéral. Contrairement à ce que certains peuvent penser, Manuel lui-même peut le croire, ils ne sont pas concurrents. Je ne sais pas ce que seront leurs vies dans les prochaines années, mais ils ne sont pas sur le même espace. »

Épilogue

Au moment de clore ce travail sur le président le plus impopulaire de la Vᵉ République nous revient en mémoire la fameuse loi des 3L inventée par Jean-François Kahn pour qualifier les rapports de la presse française à leurs hommes politiques : « *Je lèche, je lâche, je lynche.* » Plus récemment, analysant ce qu'il appelait un « hallali » contre le président, un intellectuel, l'éditorialiste de *Marianne,* actualisait la formule. « *Il y a ces trop nombreux journalistes qui ne connaissent à l'égard du pouvoir que deux attitudes : le prosternement et le lynchage* », regrettait Jacques Julliard. Pendant trois ans, nous avons essayé de nous situer à égale distance de l'un et de l'autre. Nous avons essayé d'analyser les ressorts, les forces et les faiblesses de cet « homme qui ne devait pas être président », en s'efforçant de ne tomber ni dans la complaisance à l'égard de notre sujet, ni dans le bashing irrationnel et moutonnier.

Au moment où nous écrivons ces lignes, le constat politique est sévère : le candidat Hollande promettait de faire baisser le chômage et d'apaiser le pays après cinq années d'hystérisation sarkozyste ; le président sortant traîne derrière lui comme un boulet le million de chômeurs supplémentaires et l'échec de la pacification de la société. À son crédit, Hollande a tenté. Plus que Chirac, davantage que Sarkozy. L'inaction des premiers mois a laissé la place à une succession de réformes. Souvent incomplètes, parfois contradictoires, mais le procès en immobilisme, justifié en début de mandat, serait aujourd'hui malhonnête. Nous ressortons aussi de ce quinquennat passé dans les coulisses du pouvoir avec un regard plus acéré sur cet homme dont la capacité de résilience et une forme de courage dans l'adversité nous ont marqué.

Et puis, il y a un paradoxe Hollande. D'un côté, la cohérence de l'homme. De l'autre, la trahison du candidat. Des responsables politiques de gauche ou de droite, l'homme est certainement l'un de ceux qui ont le moins varié idéologiquement depuis le début de sa carrière. Même jeune, Hollande n'a jamais été un « rouge ». Héritier de Jacques Delors, ce centriste européen partisan d'un syndicalisme réformiste et non révolutionnaire, il a au fond toujours milité pour la politique qu'il applique depuis qu'il est au pouvoir. Lors de la primaire gagnée face à Martine Aubry en 2011, il a été désigné sur une ligne qui le plaçait à la droite du PS, quand la maire de Lille soignait sa gauche. Mais comme il nous l'a lui-même confié, « une élection n'est jamais sans illusion ou espérance ». C'est ce qu'il paie cash aujourd'hui. Le discours triomphal du Bourget et son envolée lyrique sur la finance ont laissé place à une politique de l'offre inédite à gauche, qui n'avait pas été annoncée pendant sa campagne. Le candidat Hollande n'avait pas été élu pour donner un chèque aux patrons de L'Oréal ou de Total au titre du CICE, même si sa ligne économique ne peut se résumer à cette seule incartade.

À quelques mois de l'échéance, il va donc devoir faire un choix : dire, cette fois-ci, la vérité aux électeurs sur sa véritable nature politique au risque de perdre le soutien d'une partie de la gauche ; ou faire une fois de plus « du Hollande », ce mélange de flou politique et d'habileté tactique aujourd'hui rejeté par les Français. Ou alors renoncer. Au risque de brouiller un peu plus cette fameuse « trace » qu'il aimerait laisser dans l'Histoire.

Calendrier des conversations

Remerciements

Merci à nos proches, amis et familles, pour leur soutien attentif et constant. Merci en particulier à Mélanie, Manil, Juliette, Elliott, Gédéon et Darius.

Merci à François Hollande qui a accepté, sur le temps long, de nous accorder des entretiens réguliers et de répondre à toutes nos questions sans jamais demander le moindre droit de regard sur le résultat final.

Merci à Manuel Valls qui a accepté de nous recevoir pour éclaircir des moments clés de ce récit.

Merci aux proches et amis du président qui ont apporté leur regard sur les coulisses de ce pouvoir qui a gouverné la France pendant près de cinq ans.

Merci aux personnalités politiques qui nous ont livré leur témoignage.

Merci à la direction d'Europe 1 et à Renaud Le Van Kim de nous avoir laissé la liberté de mener ce projet à son terme.

Merci à Alexandre Wickham, notre éditeur, pour sa patience, ses conseils et sa confiance.

Table

LES PERSONNAGES

Composition Nord Compo
Impression CPI Bussière en août 2016
Éditions Albin Michel
22, rue Huyghens, 75014 Paris
www.albin-michel.fr

ISBN : 978-2-226-32504-4
N° d'édition : 20975/03 – N° d'impression : 2025099
Dépôt légal : août 2016
Imprimé en France